JACQUES DOLLÉ

Jacques Dollé est médecin de famille depuis trente ans. Il a mis au point une méthode qui a permis à l'un de ses patients, Michel Lebel, d'éliminer son cholestérol et sa surcharge pondérale en quatre mois, sans prendre de médicaments.

MICHEL LEBEL

Michel Lebel est champion du monde de bridge. Il a écrit plusieurs best-sellers sur ce jeu.

D0441082

EN FINIR
AVEC LE CHOLESTÉROL
ET LES KILOS EN TROP

« sans médicament »

POCKET *Évolution*

Des livres pour vous faciliter la vie!

Dr Arthur AGATSTON
Régime Miami
Des kilos en moins et la santé en plus.

Susan FORWARD
en collaboration avec Joan TORRES
Quand le prince n'est plus charmant...
Comment sortir de l'enfer à deux.

Robert HOPCKE
Il n'y a pas de hasards
La place des coïncidences dans le roman de notre vie.

Docteur Jean-Claude HOUDRET
Bien se soigner par l'homéopathie
Un guide familial, pratique et accessible, présentant
la méthode thérapeutique homéopathique pour
la prévention et la guérison des maux courants.

Jacques SALOMÉ
T'es toi quand tu parles
Jalons pour une grammaire relationnelle.

Catherine SERRURIER
Ces femmes qui en font trop...
Réflexion sur le partage des tâches au sein du couple.

David SERVAN-SCHREIBER
Guérir
le stress, l'anxiété et la dépression
sans médicaments ni psychanalyse.
Après l'intelligence émotionnelle,
une nouvelle « médecine des émotions ».

Jacques DOLLÉ
LE MÉDECIN

Michel LEBEL
LE PATIENT

EN FINIR
AVEC LE CHOLESTÉROL
ET LES KILOS EN TROP

« sans médicament »

ÉDITIONS DU ROCHER

© Éditions du Rocher, 2001.

ISBN 2-266-14333-6

POUR LES BIEN-PORTANTS

Ce livre n'a rien à voir avec un ouvrage médical et ne s'adresse ni aux professionnels de santé ni aux malades.

De même, il ne résoudra pas les problèmes des gens **sans excès pondéral** ayant un cholestérol rebelle, qui devront suivre un **traitement médical**.

Par contre, tous ceux que nous connaissons bien, que nous rencontrons tous les jours, la cinquantaine florissante, « **10 kilos en trop, le cholestérol à 3 grammes !** », ceux-là tireront plein profit de nos conseils.

Mesdames, vous qui n'êtes pas concernées par ce méchant cholestérol, mais qui vous acharnez sans résultat sur ces **trois ou quatre kilos superflus qui hantent vos nuits**, cet ouvrage vous est également destiné !

Il vous apprendra à traquer les graisses visibles et invisibles qui sont vos ennemies.

Rien n'est plus décourageant que d'entreprendre un régime avec pour seule arme, une simple feuille banalisée.

Il faut expliquer, détailler, conseiller, en un mot répondre aux mille et une questions que vous vous posez quotidiennement lorsqu'il est nécessaire de bouleverser vos mauvaises habitudes alimentaires.

C'est ce que nous allons faire en vous prenant par la main pour vous mener à la réussite, sans utiliser – si tout va bien – **le moindre médicament**.

Jacques Dollé

AVANT-PROPOS

J'exerce la médecine depuis bientôt trois décennies. Dans quelle spécialité ? La « médecine de famille ».

Je revendique ce qualificatif qui définit parfaitement la réalité dc mon exercice consistant à bien connaître mes patients dans leur environnement quotidien et dans un climat de confiance réciproque.

J'ai donc eu tout loisir, au fil des ans, d'observer le comportement de celles et ceux que j'ai soumis à un régime alimentaire : le plus difficile pour eux n'est pas d'adhérer mais de persévérer et sans persévérance, pas de résultat.

Le hasard a voulu que je rencontre Michel Lebel lors de son arrivée en province. C'était pour moi un grand champion de bridge et bien que connaissant la plupart de ses ouvrages, ce n'est pas une table de jeu qui nous a rapprochés, mais bien plutôt une manière similaire d'appréhender les choses de la vie.

Il y a quelques mois, Michel me demanda (sans doute sous la pression de son épouse) de lui faire un bilan de santé.

Les examens biologiques révélèrent un important excès de cholestérol, alors que la bascule annonçait une dizaine de kilos en trop.

Connaissant la rigueur, la détermination et le tempérament de « gagneur » de mon patient-ami, je n'eus aucun mal à le convaincre de suivre à la lettre le régime adapté à son cas.

Je dus, pour ce faire, répondre aux nombreuses questions de Michel afin de clarifier au maximum ce que j'attendais de lui.

Quatre mois plus tard, notre champion de bridge avait perdu dix kilos et tout son mauvais cholestérol.

Devant ce résultat, il me proposa de vulgariser ensemble tout ce que je lui avais appris, étrange association **médecin-patient** que nous espérons fructueuse...

SOMMAIRE

I

LES PREMIÈRES
BASES

PREMIÈRE ANALYSE

Dans la vie, le hasard a une place importante. C'est lui qui – en partie – m'a amené à vérifier mon taux de cholestérol.

En partie, puisque c'est ma femme qui avait pris rendez-vous pour moi afin de vérifier ma vue chez un ophtalmologiste.

Quelques examens ont montré que j'avais de la tension dans les yeux. Cette tension pouvait provenir du diabète. C'est donc le lendemain que ma femme m'a pris rendez-vous chez notre médecin de famille, mon ami Jacques Dollé. Je n'avais pas consulté de généraliste depuis une bonne vingtaine d'années, n'en éprouvant ni l'envie ni le besoin.

La visite se passa bien. Jacques me dit que j'étais en pleine forme, mais que par prudence, il fallait faire quelques analyses.

C'est donc confiant que je me rendais, à jeun, le lendemain matin au laboratoire. Six flacons plus tard, je rentrais chez moi prendre un petit déjeuner.

Un deuxième rendez-vous était nécessaire pour commenter les nombreux chiffres. Du côté du diabète, tout allait bien mais pour d'autres résultats, le verdict fut sans appel.

C'est donc le 15 mars exactement, 24 ans après avoir arrêté de fumer – jour pour jour – que j'appris qu'en dehors d'une importante uricémie – plus de muscadet, plus de sancerre – j'avais du cholestérol.

Beaucoup de cholestérol !

À ce moment, je ne savais pas que j'allais devoir, sur les résultats d'une simple prise de sang, changer mes habitudes alimentaires.

C'est avec un certain étonnement que j'entendis le docteur Dollé me dire : « Michel, je pense que tu peux venir à bout de ton cholestérol sans médicament. Ce ne sera bien sûr qu'au bout d'un certain nombre de mois que l'on pourra avoir la certitude qu'aucun comprimé ne sera nécessaire ».

« Je te propose, me dit Jacques, un régime qui ne repose pas sur la QUANTITÉ des aliments, mais sur leur QUALITÉ et leur mode – éventuel – de cuisson. »

C'est donc un peu abasourdi que je demandai :
« Pendant combien de temps ? » « Si tout va
bien, toute ta vie. Tu peux tuer ton cholestérol,
mais il peut revenir avec une mauvaise
alimentation. »

MES PREMIÈRES JOURNÉES

Mes débuts

Muni de quelques conseils et d'innombrables interdictions, je me rendis au supermarché le plus proche. Après deux tours de magasin, mon caddy toujours vide, j'optais pour une bouteille de saint-émilion. Puis mon choix se porta sur des olives vertes avec et sans noyaux.

Le problème des olives résolu, je me décidais rapidement pour la suite de mon dîner : escalope de dinde avec des pommes de terre à l'eau, suivie d'un yaourt aux fruits à 0 % de matière grasse.

Quelque temps après, en pénétrant dans la cuisine avant le dîner, je n'avais pas encore réalisé qu'avec une poêle normale et une escalope de dinde cuite sans beurre, le résultat serait absolument immangeable. Je n'avais pas compris, comme beaucoup de personnes qui font un régime, qu'il faut se préparer à un changement radical de toutes ses habitudes et savoir parmi les aliments vraiment permis, ce qu'il faut choisir.

VOICI MES PREMIERS CONSEILS

Pour commencer votre régime, vous devez acheter toutes sortes de produits et peut-être même de nouveaux ustensiles de cuisine, comme si vous arriviez par exemple dans une location de vacances où, comme la plupart du temps, tout manque.

Ustensiles de cuisine
Procurez-vous d'abord une poêle antiadhésive de très bonne qualité. Ne lésinez pas sur le prix, c'est la seule façon de faire une viande agréable à manger.
Si vous aimez la cuisine à la vapeur – de toute façon, vous devrez vous y mettre –, vous trouverez dans la plupart des grandes surfaces l'équipement nécessaire.

Autres produits
Ensuite, il est important d'acheter des produits qui donnent du goût à votre cuisine. Pour ceux qui aiment le beurre : beurre allégé à 25 % salé ou

toute margarine végétale. Vous pouvez même utiliser une margarine pour la cuisson (voir page 50). Prévoyez également, pour donner du goût, du poivre en grains, de la fleur de sel et si, comme la majorité des gens, vous n'avez pas le temps d'acheter des herbes fraîches, procurez-vous de l'estragon, du basilic, du persil… surgelés ou en poudre.

Un conseil
Méfiez-vous ! Lisez bien l'étiquette avant d'acheter n'importe quel produit.

Voici un exemple illustrant l'importance de bien lire les étiquettes.
Le produit : rillettes de maquereaux (conserve d'une marque de qualité).
L'étiquette : ingrédients : maquereaux 60 %, **gras de porc**, vin blanc, oignons, tomates, assaisonnement, citron vert 1 %.
Bien que d'excellente qualité ce produit est **très mauvais pour votre régime** (gras de porc environ 35 %).

Une idée simple :

Si vous vous posez la question suivante : est-ce que le lapin ou le gibier sont mauvais pour le cholestérol ?

Voici la réponse : **tout ce qui court est maigre,** tout ce qui est maigre est bon pour le cholestérol.

De toutes façons, lorsque vous consommez de la viande ou du jambon par exemple, éliminez le maximum de graisse. **Il n'est pas question de consommer du gras sous prétexte que la viande est supposée maigre.**

BIEN S'ALIMENTER

Bien s'alimenter permet de se maintenir en bonne santé, de travailler efficacement et d'éviter la transmission de certaines anomalies à nos enfants. Pour se développer harmonieusement et jouir d'une énergie suffisante notre organisme a besoin d'un bon équilibre alimentaire, c'est-à-dire un apport quotidien nécessaire et suffisant comprenant 45 à 60 % de glucides, 20 à 30 % de lipides, 10 à 15 % de protéines, de l'eau bien entendu, des sels minéraux et des vitamines.

Le début des ennuis

Un excès de **consommation de graisses** va conduire à une prise de poids disgracieuse, le tissu adipeux se concentrant dans certaines régions du corps, caricaturant la silhouette et détruisant à coup sûr les canons de la beauté !

En dehors de cet inesthétisme, la santé est menacée par ces dépôts graisseux qui se faufilent à l'intérieur des vaisseaux sanguins et préparent avec patience et ténacité de graves ennuis tels l'infarctus du myocarde, les accidents vasculaires cérébraux ou l'artérite des membres inférieurs.

L'ennemi numéro 1

Le pourvoyeur de tels désastres, tapi au fond des graisses, n'est autre que l'illustre **cholestérol**.
C'est pourtant une substance indispensable à l'organisme en quantité normale : sans lui, il ne peut y avoir d'élaboration cellulaire correcte, certaines substances hormonales ainsi que les sels biliaires utiles à la digestion ne peuvent être fabriqués.
Donc, tout le problème est celui de l'excès de cholestérol qui doit être avant tout combattu par une alimentation adaptée.

Rappels de chimie

La suite de nos propos peut paraître rébarbative mais éclairera d'un jour nouveau (pour certains) les termes médicaux utiles à la compréhension des choses.

Premier rappel

Les graisses ou lipides que nous ingérons se composent principalement d'acides gras. Les acides gras en question sont de deux types :

– **Les acides gras saturés**, d'origine animale, solides à température ambiante, riches en cholestérol.

– **Les acides gras insaturés**, d'origine végétale, liquides à température ambiante et dépourvus de cholestérol.

Deuxième rappel

Les graisses normalement insolubles dans le sang vont circuler en se liant à une protéine, on les appelle les lipoprotéines. Les **HDL** (High Density Lipoproteins) vont transporter le cholestérol de la paroi artérielle vers le foie et l'intestin. Elles sont donc **protectrices**.

À l'inverse, les **LDL** (Low Density Lipoproteins) vont permettre le transport du cholestérol vers la paroi artérielle : **DANGER**.

Troisième rappel

LES TRIGLYCÉRIDES : ces substances sont également des **lipides** qui circulent dans le sang. On a longtemps pensé que les triglycérides ne représentaient pas un risque particulier. Mais actuellement de nombreuses études scientifiques ont montré une relation très fréquente entre les accidents cardio-vasculaires et l'élévation du taux des triglycérides dans le sang.

On considère qu'**un taux supérieur à 2 g/litre est dangereux**. Cette anomalie se rencontre surtout chez les obèses et les alcooliques.

Elle réagit très bien au régime qui sera basé évidemment sur la chasse aux graisses animales mais surtout sur la suppression des sucres simples (voir page 73) et des alcools.

Grâce à ces quelques explications, nous sommes persuadés que les mots cholestérol et triglycérides ainsi que les sigles LDL et HDL n'ont plus de secret pour vous !

Passons aux travaux pratiques en observant les trois analyses sanguines que nous vous présentons (voir pages suivantes).

L'analyse n° 1 concerne un patient sans anomalie de cholestérol : pas de commentaire... c'est parfait.

L'analyse n° 2 est celle de **Michel Lebel** en date du **13 mars 2000** : avant tout régime.

L'analyse n° 3 concerne également **Michel Lebel** mais **après 4 mois de régime** correctement suivi **(13 juillet 2000)**.

La comparaison de ces deux documents est limpide :

— **Le cholestérol total** est passé de 2,70 g/l à 2,01 g/l.

— **Le mauvais cholestérol** (LDL) a chuté de 2,09 g/l à 1,36 g/l, donc bien en dessous du seuil maximum de 1,60 g/l.

— Même **l'acide urique** excessif **n'a pas résisté au régime !**

Notre premier objectif est donc obtenu au bout de 4 mois… **mais il faut persévérer !**

Remarque pour les « matheux »
Les taux de cholestérol total, des triglycérides et des HDL sont mesurables dans le sang.
À l'inverse, **le taux de mauvais cholestérol** (LDL), qui peut ne pas apparaître sur le résultat d'une analyse de laboratoire, ne se mesure pas mais **se calcule**.

Nous vous livrons donc la formule nécessaire :

$$LDL = \text{cholestérol total} - HDL - \frac{\text{triglycérides}}{5}$$

Le LDL doit être – répétons-le – inférieur à 1,60 gramme par litre.

Vérifications :
Première analyse de Michel Lebel
$$\textbf{LDL} = 2,70 - 0,47 - \frac{0,84}{5} = \textbf{2,09}$$
Deuxième analyse de Michel Lebel
$$\textbf{LDL} = 2,01 - 0,48 - \frac{0,85}{5} = \textbf{1,36}$$

C.Q.F.D. !!!

ANALYSE N° 1

Date de naissance :

Dossier N° :

BIOCHIMIE

EXPLORATION D'UNE ANOMALIE LIPIDIQUE		Valeurs de référence
ASPECT DU SÉRUM à + 4°C	Limpide	
CHOLESTÉROL TOTAL	1,93 g/l	1,30 à 2,00
TRIGLYCÉRIDES	1,75 g/l	0,50 à 2,00
CHOLESTÉROL H.D.L.	0,56 g/l	0,35 à 0,60
CHOLESTÉROL L.D.L.	1,02 g/l	inf. à 1,60

(Calcul selon la formule de Friedwald. Le résultat du LDL cholestérol n'est pas interprétable si les triglycérides sont supérieurs à 4 g/l.)

ANALYSE N° 2

Date de naissance :

Dossier N° :

BIOCHIMIE

		Valeurs de référence
ACIDE URIQUE	81 mg/l	35 à 70
GLUCOSE	1,13 g/l	0,70 à 1,10
CHOLESTÉROL TOTAL	2,70 g/l	1,30 à 2,00
CHOLESTÉROL H.D.L.	0,47 g/l	0,35 à 0,60
TRIGLYCÉRIDES	0,84 g/l	0,50 à 2,00
CHOLESTÉROL L.D.L.	2,09 g/l	inf. à 1,60

ANALYSE N° 3

Date de naissance :

Dossier N° :

BIOCHIMIE

		Valeurs de référence
ACIDE URIQUE	59 mg/l	35 à 70
CHOLESTÉROL TOTAL	2,01 g/l	1,30 à 2,00
TRIGLYCÉRIDES	0,85 g/l	0,50 à 2,00
CHOLESTÉROL H.D.L.	0,48 g/l	0,35 à 0,60
CHOLESTÉROL L.D.L.	1,36 g/l	inf. à 1,60

QUESTIONS – RÉPONSES

J'ai posé dans ce chapitre un certain nombre de questions à Jacques Dollé qui m'a répondu de façon claire.

Toutes ces questions correspondent aux doutes et aux différentes interrogations qui ont été les miens pendant la première semaine de régime – **sans médicament** – contre le cholestérol.

QUESTION 1
Michel Lebel (le patient) :
Existe-t-il des risques à moyen ou court terme avec mon taux de cholestérol actuel ? Comment peut-on les déceler ?
Jacques Dollé (le médecin) :
Bien entendu, tu encours des risques cardio-vasculaires puisque ton cholestérol tend à obstruer tes artères.

Malheureusement, il n'existe que peu de signes visibles, par ailleurs très inconstants, témoignant d'un excès de cholestérol, telles des taches jaunâtres au niveau des paupières ou un aspect nacré du pourtour de l'iris.

On peut donc dire que **la seule manière de découvrir cette anomalie est de subir une analyse sanguine.**

QUESTION 2

Michel Lebel :

Quelle est la différence entre un régime pour maigrir, disons pour perdre environ entre six et dix kilos et le régime anti-cholestérol que je vais suivre ?

Jacques Dollé :

Au départ, l'idée est la même. Il faut éviter les graisses qui sont souvent cachées. La différence entre les deux régimes est que si on veut tuer le cholestérol, il va falloir supprimer en plus les aliments riches en cholestérol et au premier chef le jaune d'œuf.

L'œuf dur, aliment de base des régimes amaigrissants, très apprécié par les mannequins EST FORMELLEMENT INTERDIT quand on a du cholestérol.

(Vous trouverez page 60 un tableau indiquant ce qui paradoxalement est néfaste lors d'un régime anti-cholestérol mais sans danger lors d'un régime amaigrissant.)

QUESTION 3

Michel Lebel :

Lorsqu'on est une personne active, n'y a-t-il pas risque d'une baisse importante de son énergie lorsqu'on suit un régime contre le cholestérol ?

Jacques Dollé :

Aucunement, car l'énergie indispensable à tes activités est fournie en grande partie par les sucres. Il faut distinguer **les sucres lents** – pommes de terre, riz, pâtes – indispensables à une activité physique normale et **les sucres rapides** – morceaux de sucre, fruits secs, certains fruits – qu'on va utiliser lors d'un effort ou une activité sportive ponctuelle. (Voir page 73.)

QUESTION 4

Michel Lebel :

Mon régime ne serait-il pas plus facile avec une aide médicale, c'est-à-dire en prenant des médicaments ?

Jacques Dollé :

Michel, de toute façon, tu es bien portant. Il faut donc éviter de prendre des médicaments qui ne peuvent agir que dans le cadre d'un régime préalable.

Beaucoup de personnes croient que les médicaments remplacent le régime. Il n'en est rien, c'est une ineptie médicale. Pour donner un exemple parmi d'autres, ce n'est pas parce que tu prends un médicament que tu as droit à la sauce béarnaise !

QUESTION 5

Michel Lebel :

Combien de temps me faudra-t-il pour espérer retrouver un taux normal de cholestérol ?

Jacques Dollé :

Dans ton cas, il suffit de deux à quatre mois de régime bien suivi pour obtenir un amaigrissement substantiel et pour vérifier par une nouvelle prise de sang que ton cholestérol est pratiquement normalisé.

QUESTION 6

Michel Lebel :

Alors plus besoin de régime ?

Jacques Dollé :

Michel, ce serait la plus grosse erreur que tu puisses commettre, car très rapidement après l'arrêt du régime tu reviendras à la case départ.

Mais je ne suis pas inquiet car, après quelques mois – disons six – de ce nouveau mode alimentaire tu te sentiras en pleine forme et tu auras la preuve que ton cholestérol est vaincu. Ces éléments seront une motivation assez forte pour que tu poursuives dans la bonne voie.

QUESTION 7

Michel Lebel :

La margarine est souvent présentée comme un aliment anti-cholestérol. Il y a même des spots publicitaires à la télévision. Qu'en penses-tu ?

Jacques Dollé :

Une margarine est **un mélange de graisse et d'eau** :

– s'il s'agit d'une graisse animale, elle est mauvaise pour le cholestérol,

– s'il s'agit d'une graisse **végétale**, elle est bonne pour le cholestérol.

De **nouvelles margarines enrichies en stérols végétaux** sont récemment apparues sur le marché. **Elles sont censées faire baisser le mauvais cholestérol.**

Il en existe plusieurs. Certaines peuvent être utilisées pour tartiner, d'autres pour la cuisson.

Attention : toutes les margarines à base de graisses animales sont À ÉVITER. Nous y reviendrons page 50.

QUESTION 8

Michel Lebel :

Pour être en forme, il faut faire de l'exercice. Quels sports ou quels exercices physiques puis-je faire à mon âge (55 ans) ?

Jacques Dollé :

Je te déconseille les sports dits violents : tennis, squash…

Par contre, je te recommande vivement des activités plus calmes et très bénéfiques comme le jogging, la natation, le golf, la bicyclette, sans oublier la marche à pied.

QUESTION 9

Michel Lebel :

Si j'ai très faim après un exercice physique ou une compétition de bridge, puis-je manger autant que je le désire ?

Jacques Dollé :

Oui, bien sûr, car **ton régime n'est pas quantitatif**. Je ne t'ai surtout pas demandé de peser tes aliments, mais seulement d'**éliminer ceux qui te sont nuisibles**.

Il faut manger à sa faim et bien manger.

QUESTION 10

Michel Lebel :

Je suis invité à dîner par des amis. Puis-je être un convive apprécié tout en poursuivant mon régime ?

Jacques Dollé :

Si tu es invité chez des amis :

— évite les gâteaux apéritifs, remplace-les par des olives vertes ou des crudités,

— consomme les plats en t'abstenant de prendre la sauce,

— ne mange pas de beurre,

— et pense à faire l'impasse sur le plateau de fromages.

Si tu es invité au restaurant, ce sera plus facile. Tu pourras en effet commencer par des crudités que tu assaisonneras toi-même à l'huile d'olive, puis, prendre un poisson grillé par exemple et terminer par des fruits et même des sorbets. Tu pourras très bien ne pas faire d'écart (voir page 140).

QUESTION 11
Michel Lebel :
Malgré tout, est-il possible de faire un extra de temps en temps ?
Jacques Dollé :
Tu peux profiter de quelques occasions exceptionnelles – anniversaire, mariage, réveillon ou repas dans un restaurant étoilé – pour souffler un peu ! Mais attention ! Tu dois immédiatement revenir dans le droit chemin. **Ne passe jamais une journée entière « hors régime ».**

QUESTION 12
Michel Lebel :
Justement, j'ai réservé longtemps à l'avance une table dans un très célèbre restaurant trois étoiles de Montpellier. Est-ce raisonnable ?
Jacques Dollé :
Michel, tu as vraiment toutes les chances ! Ce restaurant est dans le **sud de la France** et cette cuisine méditerranéenne à base de poissons, d'huile d'olive, de légumes et de fruits est excellente pour ton régime. Donc, tu ne risques pas grand-chose.
Il n'en serait pas de même dans un restaurant d'Alsace, même de qualité exceptionnelle !

Michel Lebel :

Jacques, y a-t-il un rapport entre le tabac et le cholestérol ?

Jacques Dollé :

Mon cher Michel, tu abordes là un problème très important mais qui se pose en d'autres termes. Le tabac ne modifie pas le taux de cholestérol mais il représente un risque cardio-vasculaire majeur.

N'y allons pas par trente-six chemins : fumer est nocif !

Actuellement, grâce à l'apport des « patchs », de l'acupuncture et avec un rigoureux suivi médical, arrêter de fumer est certainement plus aisé.

La réussite dans cette entreprise dépend de deux facteurs essentiels : LA MOTIVATION et LA VOLONTÉ.

Michel Lebel :

J'ai arrêté de fumer le 15 mars 1976. C'est au cours d'une discussion avec un de mes partenaires de bridge sur les effets du tabac, notamment sur la perte de mémoire, que j'ai pris cette importante décision.

J'avais réfléchi à cette éventualité depuis un certain temps, mais je n'avais pas encore eu le courage de jeter mes paquets de cigarettes.

Jacques Dollé :

Arrêter de fumer est plus difficile que faire un régime car il n'y a qu'un seul moyen de réussir, **ne jamais recommencer**. En effet, le seul fait de fumer une cigarette fait plonger à nouveau, alors qu'un repas sans régime n'empêchera pas d'**en finir avec le cholestérol.**

MÉDICAMENTS :
LA RANÇON DE LA GLOIRE

Il semble naturel qu'un sujet de la cinquantaine chez qui on découvre un excès de cholestérol se dise : « Mon médecin va me prescrire un médicament et mon problème sera résolu ». Simple comme bonjour ! Non, erreur grossière ! Toute substance chimique introduite dans l'organisme peut entraîner des effets indésirables souvent bénins, parfois redoutables, allant des petits troubles digestifs jusqu'aux incidents les plus sévères. Il suffit de consulter la fameuse « notice » placée dans chaque boîte de remèdes pour être édifié.

Une histoire vraie
Le 24 décembre 1998, Monsieur X s'apprête à fêter Noël en famille. Cet homme à l'embonpoint

certain est traité depuis un mois par un médicament anti-cholestérol qui lui permettra – pense-t-il – de passer à côté du régime.

En ce matin de fête, Monsieur X est inquiet : depuis quelques jours son féroce appétit a fait place à une anorexie inexpliquée et surtout il découvre avec stupeur que ses yeux sont jaunes. Appelé aussitôt, son médecin de famille a vite fait de diagnostiquer une hépatite, confirmée le jour même par une prise de sang. Cette inflammation du foie s'avèrera due au médicament contre le cholestérol.

Triste fête de Noël pour Monsieur X qui mit plusieurs semaines à se remettre de l'incident mais qui guérit heureusement sans séquelle.

Depuis ce jour, ce bon vivant suit scrupuleusement le régime imposé par son praticien, régime qui a porté ses fruits (cholestérol normalisé, les kilos en trop volatilisés) et il ne s'est jamais si bien porté !

Une leçon à retenir

Suivez votre régime qui deviendra au fil des semaines une nouvelle manière de vous alimenter loin d'être triste et monotone. Vous vous sentirez beaucoup plus « en forme », beaucoup plus alerte et vous n'aurez que l'envie de poursuivre dans cette bonne voie.

Une précision capitale

Bien entendu, il n'est pas question ici de sous-estimer la nécessité absolue d'utiliser des médicaments anti-cholestérol lorsque les résultats obtenus par le régime seul ne sont pas suffisants. Mais une prescription médicamenteuse ne se fera qu'après s'être assuré que les règles alimentaires développées dans cet ouvrage auront été parfaitement respectées.

Le problème thérapeutique n'entre pas dans le cadre de notre livre.

II

MAIGRIR
ET PERDRE
VOTRE CHOLESTÉROL

AVERTISSEMENT AU LECTEUR

Nous allons détailler dans ce chapitre un **RÉGIME UNIQUE** élaboré à l'intention de ceux qui désirent maigrir, mais qui s'adresse également à ceux qui doivent impérativement éliminer leur excès de cholestérol.

Notons cependant une **DIFFÉRENCE ESSENTIELLE** :

– Si vous voulez vous débarrasser de cette « maudite substance », vous devrez évidemment supprimer de votre alimentation les aliments les plus riches en cholestérol.

– Si, par contre, vous n'avez pas ce problème et que votre seule préoccupation est la perte de poids, vous pourrez consommer sans modération certains aliments riches en cholestérol. **Nous y reviendrons**.

Lisez attentivement ce chapitre, retenez bien nos conseils !
Il s'agit d'une nouvelle façon de vous alimenter qui, répétons-le, vous permet de manger à votre faim **« sans peser vos rations »**.

VOTRE RÉGIME

Les règles fondamentales
Deux types d'aliments à bien connaître :
LES GRAISSES SATURÉES
LES ALIMENTS RICHES EN CHOLESTÉROL.
Les graisses saturées sont votre **principal ennemi**. Elles concernent essentiellement les graisses animales (solides à température ambiante) à l'exclusion des graisses de poissons.
Les aliments riches en cholestérol (attention aux fruits de mer !) sont répertoriés page 60 et page 61.

La pratique
Les **graisses** utilisées sont **végétales** et servent à la cuisson ou à l'accompagnement des aliments (huile d'olive, huile de pépins de raisin, margarines végétales) principalement.

Les laitages que vous consommez sans restriction seront **toujours à 0 % de matières grasses**. Les fromages allégés à 15, 20 ou 25 % de MG seront dégustés avec parcimonie (liste page 151).

Le **pain, les pâtes, le riz, les fruits et légumes** doivent être utilisés sans modération.

Les **viandes blanches** et tous les **poissons** sont vos amis les plus sûrs.

Une place de choix est réservée à la **pomme** riche en pectine dont la consommation régulière **fait baisser le taux de cholestérol**.

Il en est de même pour **les vins rouges** dont la consommation modérée (deux verres quotidiens) contribue à la diminution du cholestérol.

Vous trouverez page 62 les différents modes de cuisson.

Avec votre médecin

Un régime alimentaire doit être contrôlé et surveillé, surtout dans les premiers temps.

Nous vous conseillons de rencontrer votre praticien – au minimum – **toutes les quatre semaines** durant les quatre premiers mois de votre régime.

Ces visites régulières ont deux buts essentiels :
1. contrôler vos résultats,
2. mieux vous informer.

1. CONTRÔLER VOS RÉSULTATS

Vous devez vous assurer que les objectifs à atteindre ont été obtenus grâce :

— **au contrôle de votre poids**, toujours sur le même pèse-personne et si possible à la même heure.

— **aux prises de sang** au bout de deux, quatre et six mois.

2. MIEUX VOUS INFORMER

Vous pouvez poser au prescripteur du régime toutes les questions qui ne manqueront pas de s'imposer à vous et lui faire préciser certains points particuliers **en rapport avec votre personnalité**.

En cas de résultats insuffisants le médecin vous demandera de remplir un cahier ou un carnet sur lequel vous noterez chaque jour la composition exacte de tous vos repas.

À la lecture de ce document, votre praticien pourra plus aisément corriger les erreurs grosses ou petites que vous aurez commises parfois inconsciemment.

Le beurre ordinaire

Il est très riche en cholestérol (**250 mg pour 100 grammes**). Par comparaison, un poisson maigre en contient dix fois moins.

Aussi, sont apparus les beurres allégés à 41 % d'abord et maintenant à 25 % contenant donc **quatre fois moins de graisse et de cholestérol.**

Les margarines

Elles sont constituées d'un mélange homogène de graisse et d'eau. On appelle cela **une émulsion.** Il est clair que **les margarines fabriquées à partir de graisses animales sont contre-indiquées** dans votre régime. Leur seul intérêt est leur prix attractif. **Les margarines végétales sont beaucoup plus saines,** faciles à tartiner mais plus onéreuses. Toutes les margarines ont un goût neutre mais acceptable. On peut les saler.

Une petite révolution [1]

La récente arrivée sur le marché de **margarines enrichies en stérols végétaux** représente un progrès non négligeable en matière de lutte contre le cholestérol.

---

1. Nous l'avons déjà abordé page 34.

En effet, ces **stérols sont censés réduire le taux de mauvais cholestérol**. Les fabricants annoncent une baisse de 10 à 15 % du LDL cholestérol pour une consommation quotidienne de 20 g du produit pendant un mois dans le cadre d'un régime par ailleurs bien suivi.

Le premier test que nous avons effectué chez une patiente ayant parfaitement respecté la « règle du jeu » a montré une baisse de 8,5 % de cholestérol LDL au bout de deux mois. C'est un résultat encourageant...

Affaire à suivre !

LE POISSON,
UN AMI QUI VOUS FAIT DU BIEN

Notre pays compte plus de 5 000 kilomètres de frontières maritimes et l'activité piscicole représente une part importante de l'économie côtière, sans compter fleuves, rivières et torrents.

Malgré cela, un fait est certain : le Français néglige le poisson.

— **Est-ce la tradition** judéo-chrétienne qui a fait qu'on ne consommait du poisson que le vendredi ?

— **Est-ce un problème d'odeur** ou de fraîcheur parfois décriées ?

— **Est-ce le prix ?**

C'est sans doute la réunion de ces facteurs qui explique ce manque d'engouement pour les produits de la pêche. Et pourtant, **le poisson possède une qualité nutritive exceptionnelle**, étant aussi riche en protéines que la viande mais ne contenant que des graisses d'excellente qualité.

Si les poissons maigres sont bien sûr très bons pour votre régime, il en est tout à fait de même pour les poissons gras toutefois plus caloriques. Nous savons d'ailleurs depuis longtemps que les Esquimaux, gros consommateurs de graisse de poissons (représentant le plus clair de leur nourriture) présentent très peu de maladies cardio-vasculaires !

Est-ce paradoxal ? Bien sûr que non ! Il suffit de vous souvenir du **rôle protecteur des graisses très insaturées : c'est le cas des graisses de poissons**. Il est grand temps de redonner aux produits de la pêche leurs « lettres de noblesse ».

Nous vous conseillons vivement d'en consommer **au minimum trois fois par semaine**... et beaucoup plus si vous aimez !

Bien entendu, certains gourmets prétendront que « c'est la sauce qui fait manger le poisson ! ». C'est sans doute exact et nous en tenons compte en vous proposant page 108 quelques recettes de sauces pouvant accompagner les poissons grillés ou cuits au court-bouillon.

ATTENTION : si tous les poissons sont vos amis, il n'en est pas de même pour certains « **fruits de la mer** » très riches en cholestérol, et donc à éviter si vous souffrez de cet excès lipidique. Ils sont par contre **tout à fait recommandés pour un régime amaigrissant**.

Voici maintenant un tableau vous indiquant **les produits de la mer les plus riches en cholestérol.**

PRODUITS DE LA MER
LES PLUS RICHES
EN CHOLESTÉROL

PRODUITS	TENEUR EN CHOLESTÉROL (pour 100 g de chair)
Œufs de poissons	300 mg
Huîtres	110 à 330 mg (selon la saison)
Homard	200 mg
Crabe	150 mg
Moules	150 mg
Crevettes	140 mg

Ce sont les muscles des animaux que l'on consomme. On distingue les viandes blanches (volaille, veau, porc) et les viandes rouges (mouton, bœuf).

La quantité de graisse contenue dans la viande dépend de l'espèce : **les viandes blanches sont maigres**, les viandes rouges sont grasses.

Une exception concerne le porc, viande blanche réputée grasse, mais dont le mode d'élevage est important : **si l'animal est nourri au maïs**, le contenu graisseux sera de meilleure qualité.

Certaines graisses de viande peuvent être éliminées facilement après cuisson. Pour éliminer la graisse de surface, **il suffit de retirer la peau**.

Si la viande est entrelardée, on doit également éliminer les coulées graisseuses réparties dans et autour du morceau.

Par contre, la graisse d'une viande persillée ne peut être supprimée : n'en consommez pas.

Parmi les viandes rouges, le mouton est le plus gras.

UNE EXCEPTION. Citons un morceau de bœuf très intéressant, car pratiquement dépourvu de graisse : le tende de gîte.

TABLEAU INDIQUANT LA TENEUR EN GRAISSE ET EN CHOLESTÉROL DES PRINCIPALES VIANDES

VIANDE	GRAISSES en %	CHOLESTÉROL en mg/100 g
Cheval	2	0
Volaille	10	90
Veau	10	65
Bœuf	20	100
Mouton	25	70
Porc	25 à 30	90

Le cheval : prix d'excellence

Alors que dans les années 50 la viande de cheval était de consommation courante, volontiers proposée aux enfants, nous observons actuellement la quasi-disparition des boucheries hippophagiques.

À l'heure de la crise de la « vache folle » et de l'épizootie de fièvre aphteuse, il est temps de redonner à la viande chevaline la place qui lui revient, à savoir celle d'un aliment d'excellente qualité nutritive, très riche en protéines, quasi dépourvu de graisses, donc tout à fait recommandé lors d'un régime amaigrissant ou anti-cholestérol.

Refermez ce livre et observez sa couverture !
Des pommes : très bien… **Une bouteille d'huile
d'olive** : rien à dire ! Mais une **bouteille de vin :
pourquoi ?**
Loin de nous l'idée de promouvoir cette boisson
dont l'excès provoque chaque fin de semaine de
nombreux accidents d'automobiles souvent
dramatiques et qui détruit autant physiquement
que moralement les buveurs invétérés.
Non… cette bouteille symbolise simplement
certaines vertus vous concernant au premier chef !
Il a en effet été démontré qu'à **dose modérée** tous
les vins exercent un rôle analogue à celui de petites
quantités d'aspirine en s'opposant à l'élaboration
des caillots sanguins.

Une spécificité des vins rouges
Grâce aux scientifiques, nous savons aujourd'hui
qu'ils contiennent certaines substances **capables
d'augmenter de façon non négligeable le taux
du bon cholestérol**. Bonne nouvelle ! Mais attention… les différentes études menées sur ce sujet
ont montré que la consommation quotidienne
bénéfique se situe dans **une fourchette de un à
trois verres**… jamais plus !
Ne résistez donc pas au plaisir qui peut être le
vôtre d'accompagner certains plats d'un verre de

bordeaux rouge qui – autre avantage – ne risquera pas, contrairement à certains crus d'autres régions, de déclencher chez vous une bien désagréable crise de goutte !

TROIS TABLEAUX

Avant de voir ensemble les différents modes de cuisson à proscrire ou à utiliser, nous vous proposons trois tableaux faciles à lire et à consulter :
1. **Les mauvaises et les bonnes graisses**
2. **Les faux amis du cholestérol**
3. **La liste noire des aliments les plus riches en cholestérol,** en dehors des produits de la mer indiqués page 54.

TABLEAU 1
LES MAUVAISES
ET LES BONNES GRAISSES

MAUVAISES GRAISSES	BONNES GRAISSES
Beurre	Huile d'olive
Fromages	Huile de pépins de raisin
Lard	Huile de colza
Saindoux	Huile de maïs
Saucisses	Huile de soja
Boudin noir	Poissons gras
Pâté	Beurre allégé
Rillettes	Margarine végétale
Saucisson	Margarine enrichie en stérols
Viande de porc	
Agneau, mouton, bœuf	

UNE REMARQUE : certains lecteurs avertis pourraient s'étonner de notre « prédilection » pour l'huile d'olive, sachant qu'elle est très calorique.

La réponse est très simple : une cuillère à soupe d'huile d'olive n'est pas plus riche en calories qu'une cuillère à soupe de crème fraîche, une noix de beurre ou un tout petit carré de chocolat ! **Mais par contre, il faut bien avoir en tête que l'huile d'olive est une GRAISSE ANTI-CHOLESTÉROL**, à l'inverse de la crème, du beurre ou du chocolat !

TABLEAU 2
LES FAUX AMIS DU CHOLESTÉROL

ALIMENTS	RÉGIME	
	POUR MAIGRIR	**CHOLESTÉROL**
Jaune d'œuf	Oui	Non
Huîtres	Oui	Non
Langouste, homard	Oui	Non
Crabe	Oui	Non
Crevettes	Oui	Non
Foie	Oui	Non
Ris de veau	Oui	Non
Abats	Oui	Non
Cervelle	Oui	Non

RETENEZ BIEN CETTE LISTE.
Aliments :
– **à éviter**, si vous avez du cholestérol ;
– **à consommer**, si vous voulez maigrir.

TABLEAU 3
LA LISTE NOIRE

LES ALIMENTS LES PLUS RICHES EN **CHOLESTÉROL**
Cervelle
Abats
Fromages
Jaune d'œuf
Beurre
Crème

- **À proscrire** ⇨

1. MIJOTAGE : Utilisé pour cuisiner les viandes les plus grasses, c'est **une méthode incompatible avec votre régime.**

2. BRAISAGE : il consiste à saisir une viande, un poisson ou un légume dans la matière grasse, avant cuisson à petit feu dans une petite quantité de liquide. **Exceptionnellement**, cette méthode peut être utilisée en saisissant dans de la **margarine végétale à cuire.**

3. FRITURE : ce procédé qui consiste à plonger les aliments dans un bain d'huile bouillante est **totalement proscrit.**

- **À utiliser quotidiennement** ⇨

1. LES GRILLADES : réalisées dans un four position gril, dans une poêle antiadhésive, sur un gril de table ou en barbecue.

Avantages : on n'utilise pas de matière grasse ajoutée et les graisses sont éliminées en tombant sous le gril. La poêle antiadhésive sera utilisée pour les viandes maigres et les poissons.

2. LA CUISSON À LA VAPEUR : elle consiste à placer les aliments dans un récipient à fond perforé au-dessus d'une source de vapeur d'eau.

Avantages : aucune graisse n'est utilisée. Peut concerner tous les légumes, les poissons, le riz et les fruits. Une double superposition permet de cuire simultanément les aliments et leurs garnitures.

Un conseil : pour vous faciliter la vie, procurez-vous **un cuit-vapeur électrique**.

3. LA CUISSON À L'EAU : ce mode de cuisson consiste à placer les aliments dans un récipient plein d'eau que l'on fera bouillir le temps de la cuisson.

Avantages : peut être utilisée pour la cuisson de tous les légumes, pâtes, riz, de nombreuses viandes et tous les poissons. Aucune matière grasse n'est utile. Vous pouvez rajouter **un peu d'huile d'olive pour les pâtes**. Cette méthode nécessite des artifices pour vaincre la fadeur :

– riche **court-bouillon** pour les poissons,

– confection d'une **sauce** accompagnant le plat (voir les huit sauces page 108).

4. LA CUISSON EN AUTOCUISEUR : les aliments sont cuits dans très peu d'eau à température élevée (110°C) en milieu hermétiquement clos.

Avantages : gain de temps et d'énergie – pas besoin de graisses –, peut être utilisée pour tous les aliments sauf les pâtes.

5. LA CUISSON À L'ÉTOUFFÉE OU EN TAGINE : ce mode de cuisson consiste à placer des aliments variés dans un récipient clos par son couvercle, sur le feu ou au four à petite température.

Avantages : pas de matière grasse. Permet de réaliser des recettes variées en mariant viandes et légumes. Nécessite de bien connaître les temps de cuisson.

LES DIX COMMANDEMENTS

1. **Faites** 3 repas par jour, dont un petit déjeuner copieux.

2. **Consommez** sans modération tous les fruits et légumes.

3. **Abandonnez** la charcuterie, les œufs, les fromages gras et le beurre.

4. **Acceptez** poissons ou viandes blanches au déjeuner et au dîner.

5. **Délaissez** les laitages s'ils ne sont pas à 0 % de matière grasse.

6. **Mangez** une pomme, pour un petit creux.

7. **Pensez** à choisir le bon mode de cuisson.

8. **Utilisez** l'huile d'olive, de pépins de raisin et les margarines végétales.

9. **Aimez** le pain, les pâtes et le riz ; ils vous le rendront.

10. **Buvez** – avec modération – un vin rouge de qualité, la seule boisson alcoolisée bénéfique.

CHAPITRE RÉSERVÉ À CELLES ET CEUX QUI ONT UN POIDS EXCESSIF
(et un taux de cholestérol normal)

Toutes les recommandations et les conseils que nous venons de développer vous conduiront sans coup férir à perdre du poids de façon significative.

Une bonne nouvelle pour vous

Nous n'avons pas oublié que vous êtes en bonne santé et que notre ennemi le cholestérol ne vous a pas attaqué. Tous les aliments cités page 60 sont donc vos amis car ne contenant que des protéines et aucune graisse.

– N'hésitez pas à ajouter des œufs durs dans votre salade ou d'en manger en cas de « petit creux ».

– Laissez-vous tenter par un plateau de fruits de mer (en renonçant au pain beurré) ou par une douzaine d'huîtres.

Étudions maintenant les deux menus caricaturaux qui suivent : ils illustrent parfaitement l'ampleur des dégâts que vous pouvez occasionner par négligence ou par envie.

DEUX MENUS CARICATURAUX

PREMIER MENU	GRAISSES
100 g de concombre en salade (citron + ciboulette)	0 g
1 tranche de jambon découenné	3 g
100 g de fruits au sirop + 1 meringue	0 g
Total :	**3 g**

DEUXIÈME MENU	GRAISSES
1 quichc (portion de 150 g)	40 g
1 boudin noir	40 g
1 mille-feuille	30 g
Total :	**110 g**

Le second menu contient donc 40 fois plus de graisses, et ces 110 g ne vont pas disparaître comme par miracle, ils vont se déposer dans votre organisme et y être stockés, entraînant donc inexorablement une prise de poids.

Si cet excès se reproduit quotidiennement, vous en mesurerez très vite les effets désastreux donc :

POUR MAIGRIR
SUPPRIMEZ LES GRAISSES

En respectant ce simple concept vous n'avez pas besoin de limiter par ailleurs votre ration alimentaire. Il est totalement

---

INUTILE DE PESER
LES ALIMENTS

Vous pouvez donc

MANGER À VOTRE FAIM

Notion extrêmement importante car si un régime est quantativement insuffisant, il ne peut pas être poursuivi longtemps.

Dans le domaine de la diététique, pas de miracle. Ne vous imaginez pas mesdames que vous aurez perdu 5 kilos pour l'été en vous attaquant au régime au mois de mai ! Vous risquez simplement d'avoir une ration alimentaire insuffisante, source de fatigue et de mauvaise humeur et d'avoir **un effet « rebond »** dès le mois de septembre qui anéantira vos efforts éphémères.

Si votre motivation est réelle et nos consignes scrupuleusement respectées, vous pouvez vous fixer un objectif raisonnable à savoir **une perte de poids de 1 kilo par mois**, si votre excès pondéral ne dépasse pas 10 % de votre masse corporelle.

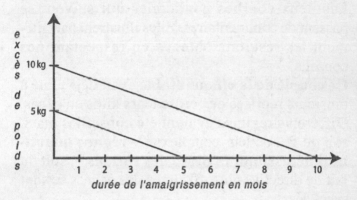

durée de l'amaigrissement en mois

Et après 10 mois ?

Si votre amaigrissement vous satisfait tout va bien !

Attention, ce n'est pas le moment de vous relâcher ; c'est, au contraire, à partir de ce moment-là que la « rechute » vous guette. En réalité, le plus dur est derrière vous : vous avez acquis une nouvelle habitude alimentaire basée sur une nourriture saine, agréable et très suffisante. Vous vous sentez beaucoup mieux, vous avez repris une activité physique avec une aisance qui vous surprend : **vous avez gagné.**

DEUX EXEMPLES RÉCENTS

Les deux courbes pondérales qui suivent se passent de commentaires. Elles illustrent parfaitement les résultats obtenus en respectant nos conseils.
Ce couple de la cinquantaine avait déjà tenté à plusieurs reprises de perdre leurs kilos en excès. Différents régimes avaient été conseillés mais, soit du fait de leur complexité – **régime quantitatif nécessitant la pesée des rations** –, soit du fait de directives insuffisantes, les échecs se sont succédés.
Ils ont accepté de suivre scrupuleusement nos recommandations, les résultats sont éloquents.

XAVIER

Poids

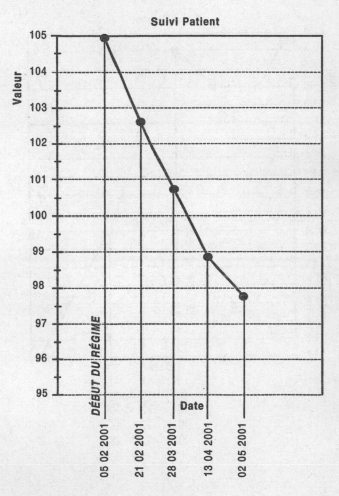

GENEVIÈVE

Poids

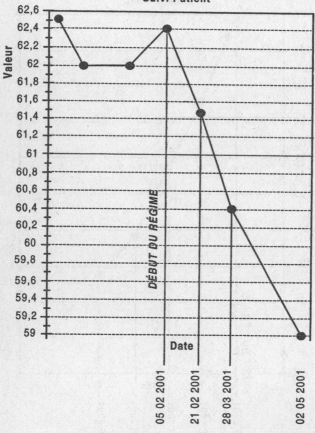

UN ENNEMI À NE PAS SOUS-ESTIMER :
LE SUCRE

Vous êtes maintenant un bon chasseur de graisses et votre perte de poids n'est plus qu'une question de volonté et de persévérance.

Attention cependant à ne pas tomber dans le piège qui consiste à compenser vos manques par **une consommation excessive de sucres rapides**.

Les sucres rapides, à l'inverse des sucres lents indispensables (pain, pâtes, pommes de terre, riz), ne doivent être **utilisés que lors d'un effort physique ou sportif important**. Ils sont très énergétiques et fournissent en peu de temps **beaucoup de calories**.

Si vous êtes sédentaires, les sucres rapides deviennent des ennemis et vont contrarier votre perte pondérale.

Les principaux sucres rapides à éviter
Les aliments :
- Le sucre blanc en morceau
- Le sucre blanc en poudre
- Les biscottes
- La farine
- Les fruits secs
- Le miel
- La confiture
- Le chocolat noir ou au lait (à croquer)

Les boissons non alcoolisées
(on utilisera les formes « light »)
- Jus de fruits sucrés
- Sodas, limonade…
- Indian Tonic

Les boissons alcoolisées
- Bière
- Whisky, bourbon…
- Cognac, rhum
- Gin, vodka
- Alcools blancs
- Pastis
- Vins cuits (porto, madère…)

Enfin, retenez que les sucres dits rapides sont en fait lents à digérer lorsqu'ils sont mélangés à d'autres substances alimentaires.

TESTEZ VOTRE « FUTUR »
TAUX DE CHOLESTÉROL

Nous vous proposons, à chaque test, une question concernant un choix entre plusieurs aliments ou plats.
Cochez votre choix, puis consultez vos réponses et faites le total de votre score.

Test n° 1   **Votre choix**
Pour préparer   1. Huile d'olive   ☐
votre salade ?   2. Huile d'arachide   ☐
   3. Huile de tournesol   ☐

Test n° 2   **Votre choix**
Pour   1. Crevettes   ☐
accompagner   2. Saumon fumé   ☐
votre salade ?   3. Crabe (miettes)   ☐

Test n° 3   **Votre choix**
Une entrée au   1. Huîtres   ☐
restaurant ?   2. Hareng, pommes à
         l'huile d'olive   ☐
   3. Terrine de campagne   ☐

Test n° 4   **Votre choix**
Un poisson ?   1. Daurade   ☐
   2. Maquereau   ☐
   3. Sardines   ☐

Test n° 5
Une viande ?

Votre choix
1. Entrecôte ☐
2. Escalope de dinde ☐
3. Côte de veau ☐

Test n° 6
Un barbecue de viande ?

Votre choix
1. Chipolatas ☐
2. Boudin blanc ☐
3. Côte d'agneau ☐

Test n° 7
Un barbecue de mer ?

Votre choix
1. Langoustines ☐
2. Rouget ☐
3. Brochette de saint-jacques ☐

Test n° 8
Un plat cuisiné ?

Votre choix
1. Choucroute garnie ☐
2. Pintade au chou ☐
3. Pot-au-feu (avec os à moelle) ☐

Test n° 9
Un dessert ?

Votre choix
1. Ile flottante ☐
2. Poires au vin ☐
3. Assiette de sorbet ☐

Test n° 10
Un dessert ?

Votre choix
1. Bananes flambées ☐
2. Crème brûlée ☐
3. Ananas au kirsch ☐

Test n° 1
1) **10**
2) 0
3) **10**

L'huile d'arachide est votre ennemi. Nous avons une (légère) préférence pour **l'huile d'olive**.

Test n° 2
1) 4
2) **10**
3) 4

Crevette et crabe, bien que maigres, sont très riches en cholestérol.

Test n° 3
1) 2
2) **10**
3) 0

Les huîtres sont trop riches en cholestérol. La terrine de campagne est catastrophique.

Test n° 4
1) **10**
2) 8
3) 8

Trois bons élèves mais **la daurade est la plus maigre**.

Test n° 5
1) 6
2) **10**
3) **10**
Dinde ou veau : deux viandes blanches à consommer.

Test n° 6
1) 0
2) **10**
3) 2
Une exception : le boudin blanc est excellent pour vous.

Test n° 7
1) 6
2) **10**
3) 6
Sans hésitation, choisissez **le rouget**.

Test n° 8
1) 2
2) **10**
3) 2
Bravo, si vous avez trouvé **la pintade au chou**.

Test n° 9
1) 2
2) **10**
3) 8

Coulez l'île flottante et préférez **la poire au vin** au sorbet.

Test n° 10
1) 8
2) 2
3) **10**

Pas de crème brûlée. Vive l'ananas au kirsch.

Votre « taux de cholestérol »

De 85 à 100 : En nette baisse. **Bravo !**

De 60 à 84 : Vous êtes sur la bonne voie, continuez.

De 50 à 59 : Efforts insuffisants. Relisez les pages précédentes.

Moins de 50 : Prévoyez de consulter votre **cardiologue prochainement.**

III

MENUS
ET RECETTES

Dans cette troisième partie, nous vous présentons un certain nombre de **menus et recettes** facilement réalisables si vous avez suffisamment de temps pour les achats, l'élaboration de certains plats et leur dégustation.

Il n'en sera pas toujours de même : vous serez parfois pressés, en déplacement, invités à un dîner ou à un cocktail.

La pratique au quotidien sera le sujet de notre quatrième partie.

Voici le plan de cette troisième partie :

1. **Le petit déjeuner** (repas essentiel)
2. **Une semaine de menus** (recettes)
3. **Les huit sauces** (recettes)
4. **Les desserts** (recettes)
5. **Le réveillon de Noël** (recettes).

Une remarque des auteurs :
Si vous ne faites pas la cuisine, vous pouvez vous dispenser de lire – pour l'instant – cette partie relativement longue… mais ne « sautez » surtout pas le paragraphe PETIT DÉJEUNER.

LE PETIT DÉJEUNER

C'est le repas le plus important de votre journée.

Bien équilibré, il vous permet d'éviter :

1. Le « coup de pompe » de 11 heures,
2. Le grignotage,
3. Un repas trop riche à midi.

Si vous avez la mauvaise habitude de commencer la journée par une simple tasse de café ou de thé avalée en courant, voici comment vous « rééduquer » :

— **Prenez votre temps.**

Faites sonner votre réveil quinze minutes plus tôt.

Préparez un véritable petit repas bien équilibré et à votre goût.

Dégustez-le tranquillement.

– Réduisez votre repas du soir et si possible faites une promenade à pied avant de vous coucher.

En effet, la digestion nocturne est lente et si votre dîner est trop copieux, vous n'aurez aucun appétit le lendemain matin.

– Soyez imaginatif.

Variez fréquemment la composition de votre petit déjeuner. Vous n'avez qu'une règle à respecter :

PAS DE GRAISSES EN DEHORS DE LA MARGARINE VÉGÉTALE

UTILISEZ : le pain nature, les céréales, les laitages à 0 % de matière grasse, le miel, la confiture avec modération, les fruits frais et salades de fruits.

CONSOMMEZ ÉGALEMENT : le jambon de Paris ou de montagne découennés, le blanc d'œuf au plat. (Voir page 136.)

BUVEZ À VOLONTÉ : café noir, thé, lait écrémé et jus de fruits frais.

RENONCEZ DÉFINITIVEMENT : aux viennoiseries, aux œufs (jaune), à la charcuterie, au bacon frit et au chocolat au lait.

UNE SEMAINE DE MENUS

Les recettes présentées sont calculées pour quatre personnes, mais vous adapterez facilement les quantités au nombre de convives.

Les recettes des desserts proposées sont regroupées en fin d'ouvrage (page 113 à page 117).

Nous vous recommandons de respecter scrupuleusement les ingrédients utilisés et les modes de cuisson. Les menus présentés ne font appel qu'à de « bonnes graisses » et les aliments choisis sont les moins riches en cholestérol.

Les vinaigrettes utilisées seront toujours à base d'huile d'olive, de pépins de raisin, de noix, de soja ou de tournesol.

Les laitages seront toujours à **0 % de MG**.

Précisons enfin que les recettes sont de réalisation aisée et ne requièrent pas de hautes compétences culinaires. Vous ne consacrerez à leur élaboration qu'un temps toujours très raisonnable.

7 JOURS DE MENUS

Les plats en italiques sont ceux dont nous vous donnons la recette.

JOUR	DÉJEUNER	DÎNER
LUNDI	*Concombres en salade blanche*	*Poivrons confits*
	Coquelet rôti, céleri branche	*Tomates farcies*
	Poires au vin	Faisselle à la gelée de framboise
MARDI	Poireaux vinaigrette	*Farfalles au thon et ses petits légumes*
	Harengs pommes à l'huile	*Pêches en gelée de pamplemousse*
	Fruits de saison	
MERCREDI	Carottes râpées	Salade de betteraves
	Saumon en papillote	*Côte de veau*, purée salade verte
	Yaourt aux fruits	Compote de pommes

JOUR	DÉJEUNER	DÎNER
JEUDI	*Paella*	*Salade de tagliatelles*
	Salade de fruits	Rôti de bœuf, haricots verts
		Charlotte aux poires
VENDREDI	Demi-pamplemousse rose	Artichaut vinaigrette
	Dorade au citron	Saumon fumé
	Sorbets	Meringues
SAMEDI	Salade de tomates aux filets d'anchois	Asperges vinaigrette
	Escalope de dinde, *endives braisées*	*Lapin en gibelotte*
	Fruits de saison	*Pommes en papillote*
DIMANCHE	*Carpaccio de saint-jacques*	Collation légère (ou diète)
	Escalope Lucullus, salade verte	
	Bananes flambées	

LUNDI

<u>DÉJEUNER</u>

CONCOMBRES EN SALADE BLANCHE

◇

COQUELET RÔTI, CÉLERI BRANCHE

◇

POIRES AU VIN

<u>DÎNER</u>

POIVRONS CONFITS

◇

TOMATES FARCIES

◇

FAISSELLE [1] À LA GELÉE DE FRAMBOISE

1, Faisselle à 0 % de matière grasse,

CONCOMBRES EN SALADE BLANCHE

Ingrédients : 2 concombres, 100 g de fromage blanc à 0 % MG, 1 cuillère à soupe d'huile de pépins de raisin, ciboulette, sel et poivre.

Découpez les concombres épluchés en très fines lamelles. Dans un bol, mélangez au fouet le fromage blanc, l'huile de pépins de raisin, le sel et le poivre. Disposez harmonieusement les rondelles de concombres dans 4 coupelles. Nappez de sauce, parsemez de petits tronçons de ciboulette.

POIVRONS CONFITS

Ingrédients : 2 gros poivrons rouges, 2 cuillères à soupe d'huile d'olive, sel et poivre.

Faites cuire au four durant une heure les poivrons entiers. Laissez-les refroidir. Épluchez et coupez-les en lamelles de 5 mm de large. Alignez-les dans un plat de service. Nappez d'huile d'olive, assaisonnez et gardez une heure au réfrigérateur.

TOMATES FARCIES : Recette de la farce maigre

Ingrédients : 2 belles escalopes de dinde, 2 tranches de jambon de Paris découennées, 2 cuillères à soupe d'huile de pépins de raisin, 2 échalotes, sel et poivre.

Dans une poêle, faites blondir les échalotes finement hachées dans l'huile chaude. Ajoutez les escalopes et le jambon hachés. Faites cuire 10 minutes, salez et poivrez. Garnissez les tomates de cette farce maigre.

<u>DÉJEUNER</u>

POIREAUX VINAIGRETTE

◇

HARENGS POMMES À L'HUILE

◇

FRUITS DE SAISON

<u>DÎNER</u>

*FARFALLES AU THON
ET SES PETITS LÉGUMES*

◇

PÊCHES EN GELÉE DE PAMPLEMOUSSE

MARDI

HARENGS POMMES À L'HUILE

Ingrédients : 12 filets de hareng sous vide, 1 grosse carotte, 1 gros oignon blanc, 25 cl d'huile d'olive, 8 petites pommes de terre Roseval, poivre concassé.

Épluchez la carotte, débitez-la en très fines lamelles. Épluchez l'oignon, débitez-le également en très fines lamelles.

Dans une terrine rectangulaire (contenance 1 litre), disposez en couches successives et répétitives les filets de hareng (trois par couche), les rondelles de carottes puis les rondelles d'oignon. Parsemez de poivre concassé et ainsi de suite (4 couches). Recouvrez d'huile d'olive. Laissez 48 heures au réfrigérateur. Servez à l'assiette et accompagnez de pommes de terre cuites à la vapeur et épluchées.

FARFALLES AU THON ET SES PETITS LÉGUMES

Ingrédients : 250 g de pâtes farfalle n° 65, 1 carotte, 1 courgette, 2 boîtes de thon à l'huile de 160 g, 140 g de fromage râpé allégé 25 % MG, 50 g de câpres au vinaigre, sel et poivre.

Préparez la carotte et la courgette en julienne. Faites cuire 10 minutes les pâtes et cette julienne de légumes. Égouttez et versez dans un saladier. Incorporez le thon, le fromage râpé et les câpres. Mélangez et assaisonnez.

MERCREDI

DÉJEUNER

CAROTTES RÂPÉES

◇

SAUMON EN PAPILLOTE

◇

YAOURT AUX FRUITS

DÎNER

SALADE DE BETTERAVES

◇

CÔTE DE VEAU, PURÉE – SALADE VERTE

◇

COMPOTE DE POMMES

SAUMON EN PAPILLOTE

Ingrédients : 4 belles darnes de saumon frais, 4 cuillères à café de vin blanc sec, 1 branche d'estragon, sel et poivre.

Préchauffez le four à 200° C. Déposez chaque morceau de saumon sur une feuille de papier aluminium. Arrosez-les avec une cuillère à café de vin blanc. Parsemez d'estragon, salez et poivrez. Refermez hermétiquement en roulant la feuille d'aluminium. Disposez dans une lèchefrite. Faites cuire 15 minutes.
Servez les papillotes à l'assiette. Accompagnez d'une purée d'épinards (surgelée en paquet de 400 g).

CÔTE DE VEAU

La cuisson des côtes est essentielle. Elle se fait dans une poêle antiadhésive sans matière grasse.
Saisissez la viande sur ses deux faces quelques minutes, puis laissez cuire durant 25 minutes à feu très doux en retournant fréquemment les côtes. Salez et poivrez. En fin de cuisson, la viande sera moelleuse, bien cuite et légèrement « caramélisée » en surface. Servez avec une purée en sachet.

JEUDI

DÉJEUNER

PAELLA

◇

SALADE DE FRUITS

DÎNER

SALADE DE TAGLIATELLES

◇

RÔTI DE BŒUF [1], HARICOTS VERTS

◇

CHARLOTTE AUX POIRES

---

1. Demandez à votre boucher un rôti dans le tende de gîte (morceau le moins gras du bœuf).

PAELLA

Ingrédients : 250 g de lotte, 250 g de calmars, 4 cuisses de poulet, 250 g de petits pois frais, 250 g de riz, 2 gros oignons, 2 poivrons rouges, 4 gousses d'ail, 50 cl de bouillon de viande, 4 cuillères à soupe d'huile d'olive, curry, sel et poivre.

Dans une grande poêle à paella, faites blondir dans l'huile d'olive le riz, les gousses d'ail et les oignons tranchés. Ajoutez le bouillon, le curry, les cuisses de poulet, la lotte découpée en morceaux, les calmars tronçonnés, les poivrons coupés en fines lamelles, les tomates en morceaux et les petits pois. Salez, poivrez et laissez cuire une demi-heure. Présentez dans la poêle.

SALADE DE TAGLIATELLES

Ingrédients : 250 g de tagliatelles, 2 tranches de saumon fumé, 1 concombre, 2 cuillères à soupe d'huile d'olive, quelques brins d'estragon, poivre.

Coupez en fines lamelles le concombre dégorgé au gros sel et épluché. Taillez en lanières le saumon fumé. Faites cuire les tagliatelles *al dente* 7 minutes. Incorporez-y tous les ingrédients. Utilisez le poivre en moulin.

VENDREDI

<u>DÉJEUNER</u>

DEMI-PAMPLEMOUSSE ROSE

◇

DORADE AU CITRON

◇

SORBETS

<u>DÎNER</u>

ARTICHAUT VINAIGRETTE

◇

SAUMON FUMÉ

◇

MERINGUES

DORADE AU CITRON

Ingrédients : 1 dorade de 1 kg, 2 oignons, 1 citron, 1 gousse d'ail, 2 cuillères à soupe d'huile d'olive, thym, persil, sel et poivre.

Écaillez, videz, lavez et essuyez la dorade. Allumez le four thermostat 7. Faites un hachis avec les oignons, l'ail et le persil. Glissez-le à l'intérieur du poisson. Faites une dizaine d'incisions espacées de 2 cm sur le dos de la daurade jusqu'à l'arête centrale. Glissez-y des demi-rondelles de citron. Placez dans un plat à gratin. Salez, poivrez et disposez des feuilles de thym autour du poisson. Nappez d'huile d'olive et enfournez une demi-heure.

SAMEDI

<u>DÉJEUNER</u>

SALADE DE TOMATES
AUX FILETS D'ANCHOIS

◇

ESCALOPE DE DINDE, *ENDIVES BRAISÉES*

◇

FRUITS DE SAISON

<u>DÎNER</u>

ASPERGES VINAIGRETTE

◇

LAPIN EN GIBELOTTE

◇

POMMES EN PAPILLOTE

ENDIVES BRAISÉES

Ingrédients : 500 g d'endives, 30 g de margarine enrichie en stérols à cuire, 1 petit oignon, 1 citron, sel et poivre.

Nettoyez les endives. Avec un couteau pointu, creusez et éliminez l'intérieur des pieds (souvent amer). Lavez et essuyez. Faites dorer les endives dans une cocotte avec 30 g de margarine. Lorsqu'elles sont bien dorées, ajoutez l'oignon coupé en rondelles et le jus du citron. Salez et poivrez. Couvrez et laissez mijoter une heure à feu doux. Retournez de temps en temps.

LAPIN EN GIBELOTTE

Ingrédients : 1 lapin découpé en morceaux, 50 g de jambon fumé maigre, 8 petits oignons, 1 cuillère à soupe de farine, 1 gousse d'ail, 100 g de champignons de Paris, 1 verre de vin blanc sec, 1 bouquet garni, 50 g de margarine enrichie en stérols à cuire, sel et poivre.

Découpez le jambon en dés. Dans une cocotte, faites revenir les oignons entiers et le jambon. Réservez et ne laissez que le jus dans la cocotte. Y faire rissoler les morceaux de lapin. Saupoudrez de farine et mélangez. Mouillez avec le vin blanc, rajoutez les morceaux de jambon, les oignons, l'ail et le bouquet garni. Salez et poivrez. Laissez cuire à feu doux trois quarts d'heure. Ajoutez les champignons en lamelles et laissez cuire encore 15 minutes. Servez avec des pommes vapeur ou des pâtes.

DÉJEUNER

CARPACCIO DE SAINT-JACQUES

◇

ESCALOPE LUCULLUS, SALADE VERTE

◇

BANANES FLAMBÉES

DÎNER

ABSTENEZ-VOUS DE DÎNER !

Faites une légère collation à base de crudités, viande froide, fruits frais.

DIMANCHE

CARPACCIO DE SAINT-JACQUES

Ingrédients : 8 noix de saint-jacques, 1 citron, 4 cuillères à café d'huile d'olive, fleur de sel de Guérande et poivre.

Coupez les noix de saint-jacques en fines lamelles. Disposez-les en une seule épaisseur sur les 4 assiettes à service. Nappez d'un filet de citron, d'une cuillère à café d'huile d'olive. Poivrez et ajoutez quelques grains de fleur de sel. Réservez au frais 20 minutes.

ESCALOPES LUCULLUS

Ingrédients : 4 fines escalopes de veau, 50 g de margarine végétale à cuire, 2 cuillères à soupe de farine, 4 fines lamelles de jambon fumé découenné, 4 fines lamelles de gruyère à 18 % MG, sel et poivre.

Farinez, salez et poivrez les escalopes. Dans une grande poêle, faites dorer la viande dans la margarine 4 minutes de chaque côté. Déposez sur chaque pièce une lamelle de jambon et une lamelle de gruyère. Laissez mijoter jusqu'à ce que le fromage soit fondu. Servez avec des pâtes.

LES HUIT SAUCES

Lorsque vous choisissez un plat élaboré à partir d'aliments « **nature** », c'est-à-dire cuisinés au gril, à la vapeur ou à l'eau – **sans autre préparation** – il est bien évident qu'une sauce est indispensable pour « **relever** » le goût d'un produit.

Nous vous présentons **huit sauces** réalisées sans aucune graisse animale, pouvant accompagner différents plats ou produits précisés en début de recette.

N'oubliez pas également **d'utiliser** sans restriction les vinaigrettes à base d'huile d'olive, de pépins de raisin et des différents vinaigres de vin, de cidre, de framboise ou balsamique et de toutes les herbes et épices que vous désirez.

Note : comme d'habitude, les recettes présentées sont pour **4 personnes**.

SAUCE TOMATE
(à base de tomates fraîches)

Ingrédients : 6 tomates bien mûres, 1 cuillère à soupe d'huile d'olive, 1 bouquet garni, 1 oignon blanc, 1 gousse d'ail, sel et poivre.

Épluchez les tomates. Coupez-les en morceaux. Pressez-les pour éliminer l'eau et les pépins. Dans une casserole, faites chauffer l'huile d'olive, jetez-y l'oignon tranché. Faites revenir 2 à 3 minutes. Ajoutez les morceaux de tomate, l'ail haché, le bouquet garni, salez et poivrez. Laissez cuire 50 minutes. Enlevez le bouquet garni, passez la préparation au chinois. Réchauffez et servez dans une saucière.

SAUCE ONCTUEUSE AUX HERBES
(pour poissons cuits au court-bouillon)

Ingrédients : 4 blancs d'œufs, 2 cuillères à soupe d'huile d'olive, ciboulette, persil frais, poivre et sel.

Versez l'huile et les blancs d'œufs dans un grand bol. Montez au fouet pour obtenir une préparation onctueuse et ferme. Ajoutez le persil et la ciboulette finement hachés. Assaisonnez.
Variante : utilisez d'autres herbes (estragon, cerfeuil, basilic) et d'autres épices selon votre goût.

SAUCE BARBECUE
(accompagne les viandes et les poissons grillés)

Ingrédients : 1 boîte de 250 g de sauce aux tomates fraîches, 4 cuillères à soupe d'huile d'olive, 1 cuillère à soupe d'armagnac, 1 grosse pincée de curry, 1 cuillère à café de fines herbes, sel et poivre.

Dans un grand bol, mélangez la sauce tomate et l'huile d'olive. Ajoutez les fines herbes, le curry et assaisonnez. Faites cuire dans une casserole une dizaine de minutes. Ajoutez l'armagnac. Laissez cuire quelques minutes et servez dans une saucière.

SAUCE ROBERT
(un classique ! Excellent accompagnement des grillades de viande)

Ingrédients : 75 cl de bouillon de volaille, 1 dl de vin blanc sec, 1 cuillère à soupe de moutarde forte, 1 cuillère à soupe de concentré de tomate, 4 cuillères à soupe de farine, 1 carotte, 1 dl d'huile de pépins de raisin, 2 oignons blancs, 1 bouquet garni, poivre et sel.

Épluchez la carotte et les oignons. Coupez un oignon et la carotte en rondelles. Hachez l'autre oignon. Faites chauffer l'huile dans une cocotte.

Y faire revenir la carotte et l'oignon en rondelles. Intégrez la farine et le concentré de tomate. À brunissement, mouillez avec le bouillon et laissez cuire 45 minutes. Dans une casserole, jetez l'oignon haché, le vinaigre et le vin blanc. Laissez réduire de moitié. Versez dans la cocotte. Mijotez durant 15 minutes et assaisonnez. Passez au chinois, ajoutez la moutarde hors du feu en remuant rapidement. Servir en saucière.

SAUCE RAVIGOTE (sans cuisson)
(en accompagnement de volailles)

> *Ingrédients : 2 cuillères à soupe de vinaigre de vin, 6 cuillères à soupe d'huile d'olive, 1 douzaine de brins de ciboulette, 2 brins de persil, 2 branches d'estragon, 2 gros cornichons, 3 cuillères à café de câpres, 1 cuillère à café de moutarde, poivre et sel.*

Hachez les herbes, les cornichons et les câpres. Dans un bol, mettez la moutarde, assaisonnez, versez le vinaigre. Bien mélanger. Ajoutez l'huile en remuant vigoureusement pour obtenir une préparation onctueuse. Incorporez câpres, cornichons et herbes. Mélangez bien et présentez en saucière.

VINAIGRETTE À LA TOMATE
(en accompagnement d'un poisson froid cuit en court-bouillon)

Ingrédients : 1 cuillère à café de moutarde, 3 tomates bien mûres, 6 cuillères à soupe d'huile d'olive, 2 cuillères à soupe de jus de citron, 2 cuillères à soupe de vinaigre de Xérès, sel et poivre.

Plongez les tomates dans l'eau bouillante pour les éplucher. Coupez-les en 4. Pressez-les pour en extraire l'eau et les pépins. Dans un mixer, versez les tomates, l'huile, le vinaigre, la moutarde, le jus de citron, le poivre et le sel. Réduisez en purée. Réservez au réfrigérateur et servez en saucière.

SAUCE À LA MENTHE
(accompagne les grillades et les brochettes de viande)

Ingrédients : 4 yaourts natures à 0 % MG, 2 cuillères à soupe de menthe fraîche hachée, 1 pincée de paprika, 1 petit piment de Cayenne écrasé, 1 pincée de sel.

Versez les yaourts dans un mixer. Incorporez-y les différents ingrédients. Versez la préparation obtenue dans une jatte. Placez 2 heures au réfrigérateur. Avant de servir, décorez avec 4 feuilles de menthe fraîche.

ANCHOYADE
(en accompagnement d'une pièce de bœuf ou de cheval grillée)

Ingrédients : 2 petits boîtes de 50 g de filets d'anchois allongés à l'huile d'olive, 1 cuillère à soupe de jus de citron, 2 gousses d'ail, 1 échalote, 1 cuillère à soupe de persil haché, 1 cuillère à soupe d'huile d'olive.

Épluchez et hachez finement l'ail et l'échalote. Dans un mortier, écrasez les filets d'anchois. Ajoutez en plus 1 cuillère à soupe d'huile d'olive, l'ail, l'échalote, le persil et le jus de citron. La préparation ainsi obtenue doit avoir la consistance d'une pommade.

Cette délicieuse sauce sera tartinée sur des tranches de pain de campagne grillées sur lesquelles on disposera les morceaux de viande.

LES DESSERTS

POIRES AU VIN

Ingrédients : 4 poires passe-crassane bien mûres, 25 cl de vin de Bordeaux rouge, 100 g de sucre en poudre, 2 rondelles de citron, 2 rondelles d'orange, 1 cuillère à café de cannelle, 8 grains de poivre.

Faites bouillir le vin et les différents ingrédients dans une grande casserole. Épluchez les poires sans ôter les queues. Les faire cuire entières dans le vin durant 20 minutes. Servez une poire et sa sauce en coupelle creuse individuelle.

PÊCHES EN GELÉE DE PAMPLEMOUSSE

Ingrédients : 4 pêches fraîches ou 1 boîte de pêches au sirop égouttées, 25 cl de jus de pamplemousse rose, 4 feuilles de gélatine, 2 cuillères à soupe de sucre en poudre.

Répartissez les pêches coupées en fines tranches dans 4 ramequins. Faites bouillir le jus de pamplemousse et les feuilles de gélatine avec le sucre. Versez sur les pêches. Laissez 2 heures au réfrigérateur. Démoulez et servez à l'assiette.

CHARLOTTE AUX POIRES

Ingrédients : 4 demi-poires au sirop, 4 cuillères à soupe de sucre en poudre, 2 cuillères à soupe d'eau-de-vie de poire, 2 cuillères à soupe d'eau, 1 citron, 20 biscuits à la cuillère, 4 feuilles de gélatine, 250 g de fromage blanc à 0 % MG.

Trempez les biscuits dans le mélange eau et eau-de-vie de poire. Garnissez les parois et le fond d'un moule à charlotte avec les biscuits légèrement imbibés. Faites fondre dans le jus du citron chaud les feuilles de gélatine préalablement ramollies à l'eau froide. Mélangez la gélatine fondue et le fromage blanc. Incorporez-y les morceaux de poires coupées en petits dés de 1 cm. Remplissez le moule avec la préparation. Laissez une nuit au réfrigérateur. Démoulez juste avant le service.

POMMES EN PAPILLOTE

Ingrédients : 4 belles pommes golden, 1 jus de citron, 4 morceaux de sucre, poudre de cannelle, 4 cuillères à soupe de gelée de framboise.

Épluchez les pommes, creusez leur centre et éliminez-le. Déposez-y un morceau de sucre. Placez les fruits sur une feuille d'aluminium, citronnez, saupoudrez de cannelle et fermez-les hermétiquement en papillote. Faites cuire au four thermostat 7 pendant 25 minutes. Au moment de servir, garnissez le centre des pommes de gelée de framboise.

BANANES FLAMBÉES

Ingrédients : 4 bananes pas trop mûres, 40 g de margarine enrichie en stérols à cuire, 4 cuillères à soupe de sucre en poudre, 1 verre à liqueur de rhum agricole.

Épluchez les bananes, coupez-les en 2 dans le sens de la longueur. Faites fondre la margarine dans une grande poêle. Faites cuire les bananes 4 minutes de chaque côté à feu doux. Déposez-les dans un plat chaud. Saupoudrez de sucre. Portez le rhum à ébullition, enflammez-le et versez-le sur les bananes en apportant à table.

MOUSSE DE CASSIS

Ingrédients : 400 g de pulpe de cassis (achetée toute prête dans le commerce), 60 g de sucre semoule, 1 feuille de géla-tine, 200 g de fromage blanc à 0 % MG, 5 g de sucre vanillé.

Détrempez la gélatine à l'eau fraîche et réservez. Tiédissez un verre de pulpe de cassis et délayez-le dans la gélatine. Mélangez le reste de pulpe avec

40 g de sucre semoule. Fouettez le fromage blanc. Ajoutez le reste de sucre et le sucre vanillé. Mélangez délicatement pulpe, fromage fouetté et gélatine. Répartissez dans 4 verres. Laissez au réfrigérateur 1 heure.

SOUPE DE PÊCHES AU POIVRE ROSE

Ingrédients : 4 pêches blanches, 25 cl de vin blanc du Roussillon, 75 g de sucre, 1 cuillère à soupe de poivre rose, 8 framboises.

Pelez les pêches. Versez le vin et le sucre dans une casserole. Laissez fondre le sucre. Quand le vin bout, placez-y les pêches et le poivre rose. Laissez cuire 10 minutes à feu doux. Versez dans un compotier. Laissez 12 heures au réfrigérateur. Disposez les framboises et servez frais.

FONDUE AUX FRUITS

Ingrédients : 750 g de fruits de saison variés, 400 g de confiture d'abricots, 1,5 dl d'eau, 0,5 dl de Grand Marnier.

Équeutez, épluchez, lavez et coupez les fruits en gros dés. Placez-les dans une terrine, arrosez-les avec le Grand Marnier. Laissez macérer 1 heure. Passez la confiture à la moulinette, ajoutez l'eau. Versez le mélange dans un poêlon à fondue. Faites bouillir 3 minutes. Placez au centre de la table sur le réchaud. Disposez les morceaux de fruits dans des coupelles. Utilisez des piques de bois pour tremper les fruits dans la sauce.

ANANAS COUVERTS

Ingrédients : 1 ananas de 1 kg, 200 g de cassis surgelé, 4 cl de liqueur de cassis, 2 blancs d'œufs, 1 pincée de sel.

Épluchez l'ananas, détaillez-le en 8 rondelles. Placez-les dans un plat, arrosez avec la liqueur de cassis. Laissez macérer plusieurs heures en retournant les tranches toutes les heures. Réservez le jus de macération. Au moment de servir, disposez les tranches d'ananas sur une plaque de four. Salez les blancs d'œufs, montez-les en neige. Répartissez-les sur les tranches d'ananas et enfournez. Laissez cuire thermostat 4 durant 15 minutes. Disposez 2 tranches sur chaque assiette. Répartissez le cassis dégivré. Servez tiède, arrosé du jus de macération gardé au frais.

LE RÉVEILLON DE NOËL

(pour 8 personnes)

GRAVELAX DE SAUMON[1]

◇

DINDE FARCIE, PURÉE DE MARRONS

◇

FROMAGES[2]

◇

ANANAS EN GELÉE ET SES MERINGUES

◇

PETITE ASSIETTE DE SORBETS

---

1. Les plats en italiques sont ceux dont nous vous donnons la recette.
2. Pour ce soir de fête, le plateau de fromages est acceptable. Il est composé de fromages allégés (voir liste page 151).

GRAVELAX DE SAUMON

Ingrédients : 1 truite saumonée ou 1 saumon de 1 kg, 3 cuillères à soupe de sel fin, 1 cuillère et demie à soupe de sucre en poudre, 1 demi-cuillère à café de poivre noir grossièrement écrasé, 1 à 2 bottes d'aneth.

Faites vider et ouvrir le poisson en portefeuille. Éliminez l'arête centrale. Avec une pince à épiler, retirez méticuleusement les petites arêtes de surface. Garnissez l'intérieur du poisson avec le mélange sel-sucre-poivre et la moitié de l'aneth. Refermez le poisson et enfermez-le hermétiquement dans du papier aluminium. Laissez 48 heures au réfrigérateur. Sortez le poisson, grattez soigneusement sa chair pour éliminer l'aneth et le poivre. Découpez-le en tranches fines sans atteindre la peau (comme un saumon fumé). Nappez les tranches d'un peu d'huile d'olive. Parsemez avec l'aneth restant finement ciselé. Présentez dans le plat de service. Garnissez de demi-tranches de citron. Accompagnez de fines tranches de pain de campagne grillées.

DINDE FARCIE

Ingrédients : 1 dinde de 2,5 kg, 500 g de farce (voir page 92), sel et poivre.

Farcissez copieusement la dinde. Faites cuire au four thermostat 7 durant 3 heures minimum en prenant bien soin d'arroser la dinde avec son jus de cuisson toutes les demi-heures. Accompagnez de purée de marrons.

ANANAS EN GELÉE

Ingrédients : 2 ananas frais, 8 feuilles de gélatine, 1 bouteille de jus d'ananas frais, 4 cuillères à soupe de sucre en poudre.

Épluchez et coupez en rondelles les 2 ananas. Disposez dans des ramequins des quarts de tranche d'ananas. Ramollissez les feuilles de gélatine, faites-les bouillir dans une demi-bouteille de jus d'ananas. Ajoutez le sucre et mélangez avec le reste du jus de fruit. Versez dans les ramequins, placez quelques heures au réfrigérateur. Démoulez sous l'eau chaude.

IV

LA PRATIQUE

Nous allons préciser dans cette quatrième partie les conseils indispensables vous permettant d'appréhender sans trop de difficultés la vie au quotidien.

Nous nous sommes penchés sur le côté « **pratique** » des choses.

Voici le plan de cette partie :

1. Le sport
Complément indispensable de votre régime, garant d'une bonne santé.

2. La pratique au quotidien
Comment faire un repas rapide sans négliger votre régime.

3. Trois situations agréables
Ce soir vous sortez. Vous pouvez contrôler la situation !
4. Les attraits de l'interdit
Situation cornélienne ! Vous avez envie de vous « faire plaisir »... juste une fois... Est-ce possible ?

LE SPORT

UN COMPLÉMENT INDISPENSABLE À VOTRE RÉGIME

Des études ont démontré que le sport pratiqué régulièrement engendre une augmentation du bon cholestérol (souvenez-vous, c'est le HDL !) et plus l'activité sportive est importante plus ce bénéfice est appréciable.

Il n'est cependant pas dans nos propos de vouloir vous transformer en marathonien ou triathlète de haut niveau !

Il vous suffit de choisir une activité physique qui vous plaît et que vous pouvez pratiquer de façon assidue. La marche quotidienne est tout à fait adaptée. Vous pouvez également vous inscrire à un club de natation, de randonnées pédestres ou de bicyclette.

— Si votre emploi du temps professionnel est trop chargé, **changez simplement vos mauvaises habitudes : n'utilisez pas votre voiture** pour les petits trajets et n'hésitez pas à **renoncer à l'ascenseur** pour deux ou trois étages.

Signalons par ailleurs qu'une activité physique régulière permet de combattre d'autres facteurs de risque cardio-vasculaire.

— **L'excès pondéral** : il n'existe pas de vrais sportifs obèses.

— **La consommation tabagique** : sport et tabac sont deux termes antagonistes.

— **L'hypertension artérielle** : l'activité physique est une clef essentielle pour combattre cette affection.

ATTENTION ! **Les sports violents doivent absolument être évités à partir de la quarantaine** : tennis, squash, badminton, courses de vitesse… **surtout en compétition**.

Si cependant vous souhaitez absolument poursuivre à cet âge une telle activité, il est indispensable de consulter votre cardiologue qui vous soumettra à un test d'effort, seule façon valable de vérifier votre aptitude à de tels exercices.

LA PRATIQUE AU QUOTIDIEN

Nous allons parler dans ce chapitre
- des menus rapides réalisables à la maison
- des salades pouvant constituer un petit repas
- du petit déjeuner à l'hôtel
- du restaurant italien et de la pizzeria
- des sandwichs « régime ».

IDÉES DE MENUS RAPIDES

Menu 1 :
- Fond d'artichaut à l'huile d'olive
- Grillade de poisson à la tomate, accompagnée de riz nature
- Salade d'oranges

Menu 2 : – Salade de tomates et de concombres
– Saumon fumé, pâtes « torsettes »
– Yaourt aux fruits à 0 % MG

Menu 3 : – Melon
– Boudin blanc, pomme fruit
– Pamplemousse rose

Menu 4 : – Sardines au citron et à l'huile d'olive
– Escalope de dinde marinée, accompagnée d'haricots verts vapeur
– Crème de yaourt à la vanille (allégé)

Menu 5 : – Radis au beurre allégé salé à 25 % MG
– Sole grillée, pommes vapeur
– Salade de fruits

Menu 6 : – Filet de maquereaux au muscadet
– Blanc de pintade avec lentilles et pommes de terre à l'huile
– Tomme de Savoie à 15 % MG

Notes : pour assaisonner, **vous pouvez remplacer l'huile** par du jus de tomate ou du jus d'autres légumes ou de légumes mélangés.

Inutile d'accompagner **les asperges, les artichauts ou les crudités** avec des sauces à base de crème ou de beurre : utilisez l'huile d'olive ou de pépins de raisin, le citron, quelques gouttes de vinaigre balsamique ou du poivre concassé.

Pour corser un assaisonnement, ajoutez du poivre noir au moulin, une pointe de piment d'Espelette et de la moutarde fine.

UNE SALADE POUR UN DÉJEUNER RAPIDE

Salade de *penne* avec thon en boîte au naturel et rondelles de tomates fraîches, assaisonnée avec de l'huile d'olive, du citron et une pointe de moutarde.

Salade de haricots verts avec tomates cerises et magret de canard fumé découenné, nappée d'huile d'olive et de poivre concassé.

Salade de pommes de terre, poulet froid et cornichons en lamelles.
Assaisonnement : huile de pépins de raisin, moutarde à l'ancienne et une pincée de fleur de sel.

Voici deux autres salades plus élaborées :
elles sont assaisonnées avec de l'huile de pépins de raisin, du **curry**, une pointe de moutarde et du **vinaigre de cidre**.

Salade de mâche et coquilles Saint-Jacques fraîches, juste cuites à la vapeur, tranchées en fines lamelles.

Salade de mesclun avec jambon de Parme dégraissé coupé en lanières, morceaux de blanc de poulet et petits cubes de pamplemousse rose.

LE PETIT DÉJEUNER À L'HÔTEL

Le petit déjeuner « d'affaires » est de plus en plus fréquent en France.
Il est devenu un rendez-vous incontournable aux États-Unis et dans les pays anglo-saxons où il n'est d'ailleurs pas rare de devoir accepter plusieurs petits déjeuners successifs.

En ces occasions, voici ce que vous pouvez consommer au buffet de l'hôtel :

- Jus de fruits
- Café ou thé, lait totalement écrémé
- Petit pain, baguette parisienne, pain grillé
- Confiture ou miel
- Jambon de Parme ou de Paris
- Yaourt à 0 % MG nature ou aux fruits
- Salade de fruits
- Divers fruits frais.

Vous disposez d'un choix tout à fait suffisant vous permettant de ne pas envier votre vis-à-vis qui n'a pas renoncé aux œufs bacon, toasts beurrés et autres saucisses frites !

La cuisine du Sud est *a priori* excellente pour vous. Où que vous soyez, vous dénicherez aisément le restaurant italien ou la pizzeria à la mode. N'hésitez pas… entrez !
Voici quelques idées de ce que vous pourrez y consommer.

Au restaurant italien

— **En hors-d'œuvre**, commandez divers légumes marinés dans l'huile d'olive — poivrons, champignons, aubergines — ou choisissez **un carpaccio de saumon**, de **thon** ou de **bœuf**.
— **En plat principal**, goûtez les rituels spaghettis **s'ils sont préparés à la commande**. Ils pourront être ainsi agrémentés de légumes, de poissons, **assaisonnés d'huile d'olive**, relevés d'ail ou de piment.
Découvrez également d'éventuels poissons de la région, grillés ou cuisinés à l'huile d'olive.

À la pizzeria

Étant à base de **pâte à pain**, votre régime vous autorise toutes les pizzas. Il vous suffit de bien choisir leur composition, en renonçant aux œufs, à la crème, au chorizo et au fromage.

Commandez, par exemple, une « **Quatre Saisons** » – en précisant **sans fromage** – relevée d'huile d'olive ou de tournesol, pimentée.
Vous pouvez lui préférer **une pizza au thon** et à la tomate… **sans olives noires**.

Un sandwich peut être paradoxalement un petit repas bien équilibré si on ignore les rillettes, le saucisson, le pâté et le beurre !
Vous pouvez choisir :

« Bord de mer »
— Petit pain à hamburger
— Rollmops en filets
— Rondelles d'oignons
— Yaourt à 0 % MG poivré et citronné

« Classique »
— Baguette parisienne
— Jambon blanc découenné
— Rondelles de tomates
— Salade verte
— Moutarde à l'ancienne

« Végétarien »
— Deux tranches de pain de campagne grillées
— Blanc d'œuf sur le plat [1]
— Ciboulette
— Deux feuilles de laitue

---

1. Faire cuire à la poêle deux blancs d'œufs dans 25 g de margarine végétale à cuire. Saler et poivrer.

Pour les « hyper pressés »

« Bistro »
– Un petit pain
– Une tranche de jambon de Parme
– Deux cornichons.

TROIS SITUATIONS AGRÉABLES

Voici maintenant trois situations agréables MAIS DANGEREUSES que vous devrez – nous l'espérons – souvent affronter :
1. **L'apéritif dînatoire ou cocktail**
2. **Le dîner en ville**
3. **Le repas d'affaires**.

1. L'apéritif dînatoire ou cocktail

Préparez-vous à cette réception conviviale où l'on peut très vite se « laisser aller ».

UN CONSEIL : si vous le pouvez, prenez la précaution de **vous nourrir juste avant l'heure de l'invitation**. Un sandwich régime (voir page 136) suivi d'un fruit feront très bien l'affaire. Ne vous précipitez pas sur les canapés à la mousse de foie, au fromage ou à l'œuf mayonnaise. Évitez les pains-surprises, les chips, les cacahuètes. Optez pour les olives vertes.

Choisissez les **petits légumes crus**, type chou-fleur, radis, carottes, tomates cerises (sans sauce, bien sûr) ou les petites « piques » au **melon-Parme** par exemple.

Délaissez les réductions sucrées (tartelettes, éclairs…) et préférez une salade de fruits.

Évitez les boissons alcoolisées qui sont euphori-santes et vous feront succomber à l'attrait de l'interdit. Un jus de fruits frais ou un jus de tomates seront parfaits pour vous.

Si vous n'avez pas eu la possibilité de vous nourrir AVANT le cocktail, pensez à vous préparer un petit en-cas en rentrant… si la faim vous tenaille !

2. Le dîner en ville

Il s'agit d'un numéro d'équilibriste qui consiste à respecter votre régime sans offusquer la maîtresse de maison.

– **L'apéritif** : une coupe de champagne ou très peu d'alcool avec de l'eau plate ou gazeuse (sans vous resservir) accompagnée d'olives vertes ou de crudités.

– **Le repas** : si les mets présentés vous semblent dangereux, n'acceptez que de petites rations. Par contre, faites honneur aux poissons en abandonnant la sauce.

Les viandes sont possibles, en petite quantité si elles sont grasses. Préférez les haricots verts et les légumes aux frites ou au gratin dauphinois.

Abstenez-vous du fromage (c'est toujours possible) et sélectionnez votre dessert en privilégiant les fruits sous toutes leurs formes.

– **Les boissons** : un petit verre de vin blanc… mais un seul bien sûr ! Plusieurs verres d'eau. Laissez-vous plutôt tenter – avec modération – par un vin rouge de qualité : **un allié sûr !**

3. Le repas d'affaires

S'il est impossible d'y échapper, méfiez-vous des graisses cachées, des sauces, de la charcuterie, des pâtisseries et des boissons alcoolisées.

CONSEILS :
— Choisissez une entrée à base de légumes ou de poissons crus
— Le plat de résistance sera un poisson, une viande blanche ou une grillade
— **Demandez que la sauce soit servie à part**
— **Attention aux garnitures** : choisissez des féculents ou des crudités
— Renoncez au fromage
— Renoncez au beurre
— Renoncez aux pâtisseries. Choisissez un dessert à base de fruits ou de sorbets.
Le soir, pensez au rééquilibrage !

Qui d'entre nous n'a jamais succombé à la tentation ?

Avant d'en arriver là, vous avez du chemin à parcourir !

Durant les deux premiers mois de votre régime, aucune dérogation ne vous est permise.

Après ce laps de temps, répétons-le, vous devrez vous plier à des contrôles réguliers de votre taux de cholestérol et de votre poids, et ce n'est que lorsque les objectifs seront atteints, sous le contrôle de votre praticien, que vous pourrez envisager un dîner fin dans votre restaurant favori.

Choisissez bien votre menu, il n'est pas nécessaire de vous précipiter sur le beurre, les sauces et les pâtisseries pour faire un excellent repas !

Nous vous proposons de suivre les conseils suivants :

— **Apéritif** : une flûte de champagne ou un verre de vin liquoreux (sauternes, coteaux-du-layon, alsace « vendanges tardives »).

— **Entrée** : une tranche de foie gras frais (French paradox) avec toasts grillés.

— **Plat** : un poisson « noble » (turbot, bar, daurade royale avec un « soupçon » de sauce légère) ou une magnifique sole meunière juste citronnée.

— **Fromage** : une tranche de chèvre chaud sur salade. Surtout pas le plateau !
— **Dessert** : une salade de fruits frais, une soupe de fraises et cerises ou un sorbet arrosé éventuellement d'alcool.

Accompagnez votre repas d'un vin unique et pourquoi pas un délicieux bourgogne blanc en ce jour exceptionnel !
Terminez votre dîner par un café mais... sans cigare bien entendu !

Vous avez ainsi la preuve qu'en composant judicieusement un menu, vous pouvez pleinement satisfaire votre envie festive sans trop maltraiter votre régime.
Souvenez-vous qu'il ne peut s'agir que de « permissions exceptionnelles » récompensant votre rigueur quotidienne, devenue avec le temps une habitude — ô combien — bénéfique.

V

PETIT GUIDE
DES PRODUITS
ALLÉGÉS

En dehors des beurres et des margarines déjà mentionnés dans cet ouvrage, nous avons recherché et goûté pour vous différents produits allégés vendus en grandes surfaces ou dans les commerces de détail.

Nous les avons regroupés par familles :
- **Produits pour l'apéritif**
- **Plats cuisinés surgelés**
- **Fromages**
- **Laitages nature**
- **Laitages aux fruits**
- **Biscuits sucrés.**

Ces listes n'ont pas la prétention d'être complètes mais **elles guideront vos premiers pas.**
À vous ensuite de rechercher de nouveaux produits.
La motivation sera votre principal moteur.

POUR L'APÉRITIF

En accompagnement d'un jus de tomates relevé au sel de céleri ou d'une boisson peu alcoolisée telle un verre de bon vin ou une flûte de champagne.

Vous servirez :
— des petites croustinettes de pommes de terre à 10 % de MG
— des croustillants au sésame à 12 % de MG
— des petites feuilles salées également à 12 % de MG.

Vous pourrez présenter :
— différentes variétés d'olives vertes : nature, avec ou sans noyaux, farcies aux anchois, fourrées aux poivrons
— différentes variétés de cornichons : croquants, aromatisés ou à la russe.

Vous préparerez :
— de petits toasts beurrés d'une fine couche de TAPENADE d'olives vertes en boîte.

PLATS CUISINÉS SURGELÉS

Avec un peu de temps et de patience, il vous sera relativement facile de dénicher des plats allégés à base de poissons.

Par contre, ceux à base de viande semblent inexistants (nous n'en n'avons pas trouvé).

En effet, leur préparation nécessite un mode de cuisson « en friture », ce qui les excluent a priori de notre répertoire. Mais la chasse est ouverte !

Voici donc quelques idées de plats « prêts à servir » **à base de poissons** que vous pourrez vous procurer au rayon « surgelés » de votre grande surface habituelle :

— Poisson préparé à la bordelaise, cuisiné uniquement à l'huile de tournesol
— Poisson cuisiné à la provençale, plat ne contenant que de l'huile d'olive
— Poisson « façon niçoise » à l'huile d'olive vierge
— Colin aux tomates et au pistou à l'huile d'olive
— Saumon de Norvège aux fines herbes sans graisse surajoutée
— Grillade de poissons aux tomates ou aux herbes, cuisiné à l'huile d'olive
— Sole ou limande grillée à la provençale sans addition de graisse.

FROMAGES

En dehors des fromages entiers que vous trouverez dans les rayons de grandes ou moyennes surfaces, **n'hésitez pas à interroger un fromager** qui vous indiquera de nombreux produits « à la coupe » contenant moins de 30 % de MG, régulièrement renouvelés.

Rappelons cependant que pour vous, la consommation de fromages – même allégés – ne sera qu'épisodique (une à deux fois par semaine).

Fromages allégés entiers
(quelques exemples)
– Fondant au gruyère ou au chèvre 20 % de MG
– Rocroi (Ardennes) 20 % de MG
– Camembert allégé 28 % de MG
– Chèvre allégé 28 % de MG
– Bleu de Bresse allégé 29 % de MG

Fromages allégés « à la coupe »
– Tomme de Savoie 15 % de MG
– Gruyère allégé 18 % de MG
– Hollande allégé 20 % de MG
– Tomme de montagne 25 % de MG
– Tomme de Bergues 25 % de MG

Pour cuisiner
Il existe différents **râpés allégés à 25 % de MG** que vous utiliserez exceptionnellement lorsqu'une recette le nécessite impérativement.

LAITAGES NATURE

Lait

Que ce soit pour améliorer votre petit déjeuner ou pour confectionner certaines recettes, vous pourrez utiliser les différents laits TOTALEMENT ÉCRÉMÉS du commerce.

Crème fraîche

Il existe plusieurs variétés de crèmes liquides ou épaisses **allégées à 8 % de MG**. Elles pourront être utilisées avec parcimonie pour la réalisation de certaines recettes.

Yaourts 0 % de MG

Éléments essentiels de votre régime puisqu'ils ne contiennent aucune graisse et représentent un apport non négligeable de protéines.

Vous les consommerez à votre guise avec ou sans sucre ou à l'Aspartam.

Ils termineront un petit déjeuner bien équilibré.

Ils serviront à la confection de sauces en remplacement de la crème fraîche. Ils vous permettront surtout de finir vos repas, remplaçant à la fois le fromage et le dessert sans le moindre effort de préparation !

LAITAGES FRUITÉS

Yaourts aux fruits
Présentent bien entendu les mêmes qualités nutritives que leurs « frères » nature avec un plus gustatif appréciable.

Ils se conjuguent	à la CERISE
	à l'ABRICOT
	à la PÊCHE
	au RAISIN
	ou à la VANILLE.
Ils associent	FRAISES et FRAMBOISES
	PÊCHES et POMMES
	PRUNEAUX et ABRICOTS
	différents FRUITS ROUGES
	et FRUITS JAUNES.

Fromages frais aux fruits
Existent également à 0 % de MG. Ils peuvent être MOUSSE SUR FRUITS, aux PRUNEAUX, aux FRAISES, aux FRUITS DU MARCHÉ.
Vous trouverez également des fromages frais à la vanille à 0 % de MG.

BISCUITS SUCRÉS

— Petits gâteaux de dessert allégés contenant de 6 à 13 % de MG, aromatisés aux fruits rouges, aux abricots ou aux pruneaux.
— Petites tuiles au citron
— Croustillants aux abricots et aux noisettes
— Croquants au chocolat.

Une idée de collation
— 5 petits biscuits allégés
— 1 yaourt nature 0 % MG
— 1 tasse de thé.

Nous le répétons, ce petit guide n'est pour vous qu'un point de départ.

Les « commerciaux » sont très inventifs et de nouveaux produits allégés apparaissent chaque jour.

À vous de les découvrir !

Savoir choisir ce qui est bon pour vous doit être votre credo quotidien. Cela deviendra **une nouvelle habitude alimentaire**, synonyme de persévérance donc de **réussite**.

TABLE DES MATIÈRES

La révolution dans votre assiette

Le régime Miami
Dr Arthur Agatston

Le mot régime a longtemps rimé avec contraintes et privations. Mais ces astreintes ne sont plus de mise : avec le *Régime Miami* et sa méthode hors du commun en trois phases, Arthur Agatston nous apprend, non plus à nous priver, mais à mieux doser les lipides et les glucides pour retrouver ligne, vitalité, et plaisir de manger... Toutes les clefs pour adopter un régime alimentaire sain et équilibré.

(Pocket n° 12503)

Il y a toujours un Pocket à découvrir

Le plaisir de mincir

La méthode simple pour perdre du poids
Allen Carr

Gourmandes et gourmands, ce livre est fait pour vous !
Parce que manger peut être synonyme de bien-être, ou
d'équilibre et de satiété, Allen Carr propose dans cet
ouvrage de se réapproprier les valeurs du goût.
C'est avec logique et bon sens qu'il proscrit les obli-
gations et les interdits – qui dictent souvent notre
conduite alimentaire –, et qu'il prône la liberté de se
laisser guider par ses envies et ses besoins. Car ce n'est
qu'à partir de ce plaisir retrouvé que l'on peut aboutir à
une alimentation plus saine et... perdre du poids !

(Pocket n° 11141)

Réveillez vos papilles, oubliez les kilos

130 recettes minceur
en 5 à 10 minutes chrono
Thérèse Ellul-Ferrari

Pour toutes celles et ceux qui rêvent de manger équilibré mais qui n'ont le temps que d'avaler un sandwich, voici le livre miracle. L'auteur, diététicienne, a concocté avec l'aide de son mari cuisinier des recettes très peu caloriques à faire frémir et fondre de plaisir les plus gourmands : fondue de poivrons, pavés de rumsteck à l'italienne, brochette de fruits rouges en papillotes… Un concentré de minceur en 10 minutes chrono !

(Pocket n° 11952)

Il y a toujours un Pocket à découvrir

www.pocket.fr
Le site qui se lit comme un bon livre

Informer
Toute l'actualité de Pocket,
les dernières parutions
collection par collection,
les auteurs, des articles,
des interviews,
des exclusivités.

Découvrir
Des 1ers chapitres
et extraits à lire.

**Choisissez vos livres
selon vos envies :**
thriller, policier,
roman, terroir,
science-fiction...

POCKET

Il y a toujours un Pocket à découvrir
sur www.pocket.fr

Cet ouvrage reproduit par procédé photomécanique
a été achevé d'imprimer sur les presses de

BUSSIÈRE

GROUPE CPI

à Saint-Amand-Montrond (Cher)
en septembre 2005

POCKET - 12, avenue d'Italie - 75627 Paris Cedex 13
Tél. : 01-44-16-05-00

— N° d'imp. : 52167. —
Dépôt légal : octobre 2005.

Imprimé en France